LIBRO DOS: LA SUPERVIVENCIA

LA ISLA

GORDON KORMAN

LIBRO DOS: LA SUPERVIVENCIA

LA ISLA

SCHOLASTIC INC.
New York Toronto London Auckland Sydney
Mexico City New Delhi Hong Kong Buenos Aires

A Sócrates y Krista Panageas

Originally published in English as *Island Book Two: Survival*

Translated by Jorge I. Domínguez.

ISBN 0-439-66378-4

12 11 10 9 8 7 6 5 4 3 2 1 4 5 6 7 8 9/0

Printed in the U.S.A.

First Spanish printing, October 2004

PRÓLOGO

En la playa de la pequeña isla de coral sin nombre, yacía todo lo que quedaba de la goleta *Phoenix*. Era una estrecha tabla de madera de dos metros de largo y un metro y medio de ancho, que había sido el techo de la cocina del barco. Ahora estaba quemada por el fuego, maltratada por el mal tiempo y llena de sal y arena. Apenas visible, entre las magulladuras de la batalla, se podían distinguir tres letras: N-I-X. El resto del nombre Phoenix yacía en lo más profundo del océano Pacífico.

Sobre esa tabla, cuatro jóvenes se habían enfrentado al mar siete días con sus noches. Su capitán había perecido en la tormenta. El segundo de a bordo los había abandonado a su suerte. Dos de sus compañeros habían desaparecido sin dejar rastro. A punto de morir de hambre y sed bajo el sol infernal, los cuatro supervivientes habían batallado contra el viento y las olas. Tres de ellos estaban en condiciones deplorables y el cuarto profundamente inconsciente cuando arribaron a este cayo rocoso, situado a más de nueve mil kilómetros al oeste de Los Ángeles, a unos mil kilómetros al sur de Tokio y a más de mil kilómetros al este de Hong Kong.

Era un pequeño punto en el vasto océano, un punto que no aparecía en los mapas, por donde no pasaban rutas navieras, que no estaba al alcance de la vista de los aviones: una isla sin nombre.

CAPÍTULO UNO

Día 1, 4.45 p.m.

Habían sobrevivido olas de más de doce metros, una explosión y un incendio en alta mar y una semana a la deriva en una estrecha tabla, pero ahora Luke Haggerty, Charla Swann e Ian Sikorsky enfrentaban el mayor de todos los retos: un coco.

Se había caído de un cocotero alto pasando a unos centímetros de la oreja de Luke. Para tres personas que no se habían llevado al estómago otra cosa que agua de lluvia en siete largos días, representaba lo que más necesitaban: algo de comer.

Charla, la niña de la ciudad, lo tomó entre sus manos, lo escudriñó y preguntó:

—¿Y cómo se abre esta cosa?

—¿Qué esperabas? —le replicó Luke—. ¿Una lengüeta?

Era sólo una broma, pero sirvió para aumentar la tensión y el nerviosismo del grupo. Will Greenfield, el cuarto sobreviviente, yacía inconsciente e inmóvil en la playa cerca de allí. Necesitaba asistencia médica. Probablemente todos la necesitaban, pero estaban muy lejos de cualquier médico u hospital, varados en una... ¿una qué?

4

Tenía que ser una isla. ¿Pero cuán grande era? ¿Y dónde estaba situada? Vaya uno a saber.

"Hay que ser agradecido —se recordó Luke a sí mismo—. Estás vivo".

Pero no se sentía agradecido. El capitán Cascadden no estaba vivo. Lyssa Greenfield y J.J. Lane no estaban vivos. Luke sentía su ausencia en cada suspiro. Sentía una tristeza sobrecogedora que le pesaba tanto como el cansancio y la deshidratación.

¿Qué tenía Luke de especial que había merecido vivir cuando otros habían perecido? ¿Por qué estaba todavía aquí?

¿Sería su buena suerte?

Tal vez la suerte no era tan buena después de todo. Sentía que el hambre era más poderosa que la muerte. No eran ya las punzadas del hambre. Luke no las había sentido en días. En el lugar donde debía estar su estómago había un hueco absolutamente vacío. La sensación era tan intensa que parecía salirse de los límites de su piel. Venía acompañada de un débil temblor nervioso que lo único que hacía era empeorar.

Y ahí estaba ese coco...

—Tienes que romperlo —explicó Luke mientras lo golpeaba contra la tierra húmeda—. Tienes que atravesar la cáscara gruesa —dijo y, agarrando una piedra, comenzó a golpear la cáscara verdusca—. ¡Hay que tener paciencia! —añadió. Lo recogió y lo tiró contra un árbol— ¡Ábrete, coco miserable!

Rebotó con el golpe y dio en la tierra sin romperse. Ian habló:

—Una vez vi un documental acerca de unas tribus indígenas que podían abrir cocos con sus propias manos.

—¿Te molestaste en aprender cómo lo hacían? —Luke le preguntó irritado. Ian negó con la cabeza.

—Eso era en la segunda parte. La pasaron la noche en que salí para este viaje.

Los tres intercambiaron una mirada sombría. Era difícil creer que hacía sólo dos semanas estaban seguros en sus casas, empacando para Un Nuevo Rumbo, una excursión de un mes en un barco para jóvenes con problemas de conducta.

Charla parecía un tanto histérica.

—¡Es como morirse de hambre en la cena de Acción de Gracias! —gritó. Recogió el coco que se había caído, dio una vuelta y lo lanzó como un disco a la jungla.

¡Crack!

—Se rompió —exclamó Ian—. Lo oí.

Se metieron rápidamente en el denso follaje, pero no se veía el coco por ninguna parte. Los pies se les enredaban entre la maleza.

6

Luke agarró una rama y comenzó a tirar de ella para arrancarla. ¡El coco! ¡Lo único que tenían para comer! ¡Tenía que estar en algún lugar! Comenzó a dar golpes enfurecido, como un jugador de golf enloquecido, enterrado hasta las rodillas en la arena.

Rugió de furia. Era absurdo, lo sabía, una pérdida de energía incalculable cuando quedaba tan poca. Pero su frustración, mezclada con el hambre, hacía que no le importara nada, no podía controlarse...

—¡Luke! —Charla lo agarró por detrás—. ¡Detente! Es sólo un coco.

—¡Oigan! —se escuchó la voz de Ian—. ¡Miren esto!

Siguieron el llamado hasta un pequeño grupo de árboles frondosos y arbustos tropicales. El más joven de los muchachos estaba recogiendo montones de extrañas frutas verdes que habían caído en la tierra.

Charla frunció el ceño.

—¿Qué es eso que tiene tan mal olor?

—Son duriones —explicó Ian jadeando—. Tienen un olor muy fuerte, pero son comestibles —explicó. Abrió uno dándole un golpe contra el tronco de un árbol y le dio la mitad a Luke. El poderoso olor se triplicó. Luke lo miró.

—Estás bromeando, ¿verdad? —la gruesa cáscara estaba cubierta de púas. Parecía un arma mortal más que una fruta.

Charla aceptó un pedazo, agarrándolo como si fuera a explotar.

—Pero ¿cómo sabemos que no es venenosa?

Ian extrajo una semilla inmensa y comenzó a comer la pulpa gris que la rodeaba.

—Pasaron un documental en la tele —comenzó a decir con la boca llena.

Luke y Charla se miraron fijamente. Habían aprendido por experiencia que Ian siempre tenía razón cuando se trataba de algo que había visto en televisión. Su fuente de conocimientos había salvado sus vidas más de una vez en la balsa.

Cayeron sobre los duriones como tiburones hambrientos. No tenía buen sabor, Luke reflexionó. No era ni siquiera aceptable, pero en su hambre voraz, casi ni se dio cuenta y se atiborró de la fruta que tenía una consistencia de crema arenosa, pero con un raro sabor a ajo. En su casa, esto nunca hubiera tenido un lugar en la mesa, pero aquí se lo comía glotonamente, hasta masticaba las semillas duras como piedras, porque Ian decía que necesitaban la proteína.

El festín pronto se convirtió en una carrera desenfrenada. Después de estar sin comida por tanto tiempo, una vez que habían comenzado a comer, no podían parar de hacerlo. Los tres se tropezaban entre los árboles, empujados por un apetito febril, enredándose y cayendo sobre la multitud de cáscaras que habían desechado mientras corrían a abrir nuevas frutas. Las afiladas púas les arañaban las rodillas y las canillas, sin embargo, ninguno de ellos sentía las punzadas. Nada importaba, sólo la extenuante carrera por sacar la mayor cantidad de alimento humanamente posible.

Después de estar un rato atiborrándose de duriones, finalmente Luke sintió su estómago nuevamente en el lugar que le correspondía, lleno y satisfecho. Junto a esa sensación, experimentó algo inesperado. Súbitamente, un sueño incontenible se apoderó de él. De pronto, sus párpados estaban tan pesados que no podía mantener los ojos abiertos.

Luke sintió pánico en medio de su modorra. ¿Se habrían envenenado?

Los otros debían haberlo experimentado también. Poco antes de quedar inconsciente, escuchó a Charla decir:

—Dios mío, ¿qué hemos comido? ¡Me caigo de sueño!

Segundos después, los tres yacían inmóviles entre los desperdicios de su festín esparcidos a su alrededor.

CAPÍTULO DOS

Día 1, 10:50 p.m.

Inspección de casilleros.

Ante los ojos de Luke desfiló una serie de imágenes: el subdirector revisaba su desorganizada colección de libros y zapatos deportivos. Una pausa para mostrar los sudados pantalones cortos del gimnasio a todos los que estaban en el pasillo: el tipo era un comediante genuino. Y después...

Algo macizo y pequeño en el forro de su mochila, unos dedos regordetes lo sacaban a la luz: un revólver calibre 32.

—¡No es mía, señor Sazio!

Incluso ahora, acostado inconsciente en la selva de una isla desierta, a más de catorce mil kilómetros de distancia, Luke clamaba su inocencia.

—¡Alguien me tendió una trampa!

Y tal como sucedió en la vida real, nadie le creyó.

Comenzó la agitación, el juicio, las opciones: seis meses en el Centro de Detención Juvenil Williston o un programa llamado UNR, Un Nuevo

Rumbo. Cuatro semanas a bordo del *Phoenix*, una majestuosa goleta. Allí aprendería disciplina, cooperación y respeto a la ley y el orden.

Las imágenes cambiaban. Podía escuchar la tremenda explosión, sentir la ráfaga de viento caliente en su cara y ver la bola de fuego que se acercaba...

Oyó un ruido, y no era una explosión. Luke se despertó sobresaltado. Todo estaba tan oscuro que, por un momento, pensó que estaba de nuevo en la balsa. La luna plateada era lo único que iluminaba la escena.

Y entonces vio algo. Unos ojos rojos brillantes lo miraban a poca distancia.

Luke se quedó sin aliento por el miedo y la repulsión. Su instinto le decía que huyera, pero como estaba acostado en el suelo, no tenía cómo escapar.

La bestia retrocedió dos pasos, bufando. Medía más de un metro de largo, parecía tener sólo una cabeza y un cuello de toro enormes y un cuerpo que se iba reduciendo hasta sus cortas patas y la cola. A ambos lados del hocico plano se enroscaban dos relucientes colmillos blancos que parecían bigotes engomados.

"¡Un cerdo! —pensó Luke—. ¡Un jabalí!". Y él allí, en el suelo, indefenso...

Con un solo movimiento rodó y se incorporó sobre las rodillas. El jabalí se asustó y corrió hacia la selva, alzando y bajando la enorme cabeza como un pistón.

Luke miró a su alrededor entrecerrando los ojos hasta descubrir las siluetas de sus dos compañeros que yacían dormidos. Al menos él tenía la esperanza de que estuvieran dormidos. Se paró y sintió un terrible calambre en el estómago.

Se dobló tratando de controlar el pánico.

—Si fuera veneno ya estarías muerto —se dijo en voz alta.

Habían comido algo muy raro... en exceso y muy rápido, después de una semana sin probar alimento. Era demasiado para su organismo, y su estómago se lo estaba recordando.

Un escozor en la mejilla desvió su atención de la digestión. Alzó la mano y comenzó a rascarse. Eran ronchas, más de diez. Picaduras de insectos, por toda la cara. Sus párpados comenzaban a inflamarse. Tenía ronchas en los brazos y en la parte de las piernas que sus pantalones cortos, hechos jirones, dejaban al descubierto y también en la cabeza, incluso bajo su tupida cabellera castaña. Mientras dormía, había sido un banquete para los insectos de la isla. Escuchaba el zumbido en los oídos. Trató de espantarlos con los brazos, pero el zumbido siguió.

Charla se movió e inmediatamente se acurrucó como una bola.

—¡Oh, mi estómago! ¿Qué tenía esa fruta? ¿Cianuro?

—Creo que se nos fue la mano —gruñó Luke.

Charla no estaba convencida.

—¿Estás seguro? Estoy cubierta de ronchas. Todo el cuerpo me pica.

—¡Son los insectos! —exclamó Luke, dando palmadas y golpes con las manos. De pronto se le ocurrió algo que le hizo olvidar los insectos y los calambres del estómago—. ¡Will! —exclamó horrorizado.

Ian se incorporó de un salto.

—¿Se despertó?

—¡Lo dejamos en la playa!

—Bueno —dijo Charla—, tampoco se puede ir muy lejos...

—Vi un jabalí hace un rato —dijo Luke sin aliento—. No me atacó, pero Will no se puede defender. Tenemos que ir a buscarlo.

Corrieron a través de la espesa maleza, mientras sus piernas cansadas tropezaban entre la maraña de lianas. Luke trató de levantar más los pies, pero no tenía la energía necesaria para hacerlo.

13

—¡Esperen, esperen! —dijo Charla agarrando a Luke por el brazo para detenerlo—. ¿Recuerdas el camino de regreso a la playa? Yo no.

Los tres miraron a su alrededor, tratando de aguzar los sentidos embotados por la fatiga y la incomodidad. En la oscuridad, todas las direcciones parecían iguales.

—No veo el camino —dijo Luke finalmente—. Apenas los puedo ver a ustedes.

—Silencio —ordenó Ian—. ¿Qué oyen?

—Oigo mosquitos, muchísimos mosquitos —se quejó Charla—. ¡Vámonos de aquí!

—Oigan el silencio —insistió Ian.

Esta vez Luke contuvo el deseo de echarse a correr para escapar de los insectos que lo estaban devorando. Haciendo un esfuerzo, mantuvo los oídos y la mente atentos. Se escuchaba un zumbido, por supuesto. En medio del silencio, se escuchaba algo parecido a un batallón de aviones, pero lentamente comenzó a captar otros ruidos más débiles: el murmullo de animales pequeños y pájaros nocturnos, el susurro del viento en las hojas de las palmeras y finalmente un distante y rítmico golpeteo.

Su cerebro funcionaba en cámara lenta, por eso se demoró en reaccionar.

—¡Las olas! —exclamó finalmente.

—¡Por aquí! —dijo Ian señalando el camino.

Unos minutos más tarde, salieron de la arboleda. La carrera les había aclarado un poco la mente. Luke levantó la mano para chocar palmas con Charla y esta le devolvió el saludo débilmente, pero la celebración duró poco.

Una depresión en la arena les mostró el lugar donde había estado Will.

Pero su amigo no se veía por ninguna parte.

CAPÍTULO TRES

Día 1, 10:35 p.m.

Cuando Will Greenfield finalmente recobró el conocimiento, despertó de repente, con un sobresalto. Estaba en un lugar lejano entre sueños y, un momento después, estaba sentado, despierto, alerta, incluso excitado.

—¿Dónde estoy? —dijo con voz ronca y quebrada. Y qué sed tenía, y qué hambre, ¡y qué tremendo dolor de cabeza!

Todo estaba totalmente oscuro, pero Will sentía la arena bajo su cuerpo y escuchaba el océano.

¿Qué pasaba? ¿Se había quedado dormido en la playa?

Trató de concentrarse, pero no conseguía pensar en otra cosa que no fuera el dolor de cabeza y los retortijones de su estómago. Su cerebro estaba como envuelto en una neblina. Casi podía ver las ondas plateadas de una niebla gris.

Pero la niebla debería ser invisible en semejante oscuridad...

"¡Piensa!", se ordenó a sí mismo.

Lo último que recordaba era que se dirigía en un avión a Guam para ingresar en el programa Un Nuevo Rumbo. A su hermana, Lyssa, le dieron más maní que a él y, ¡qué sorpresa!, no quiso compartirlos.

Maní. Le encantaría tener ahora unos cuantos...

"¡Olvídate del maní! ¡Piensa!".

Guam. Debe estar en Guam. Pero entonces, ¿qué había pasado con Un Nuevo Rumbo? ¿Y dónde estaba Lyssa?

Su cara pecosa se contrajo en una mueca. Sus padres los habían enviado a él y a su hermana al otro lado del mundo para participar en UNR. El viaje debía enseñarles a llevarse bien. Era algo extremadamente importante para papá y mamá... y muy caro también. Si no participaba en el programa, nunca se lo perdonarían. Lyssa ya era la niña mimada de la familia. Y sería aún peor si todos se enojaran ahora con él.

Sintió una rabia incontrolable. ¡Era culpa de Lyssa! Seguro que lo había preparado todo para que él no llegara a tiempo. Sólo que... ¿por qué no recordaba lo que ella había hecho? ¿Por qué no recordaba cómo había llegado a este lugar?

Se incorporó... sus músculos estaban entumecidos. ¿Cuánto tiempo había estado durmiendo? Un momento... ¡esta no era la ropa que llevaba en el avión! Tenía sólo una camiseta y pantalones cortos hechos jirones.

Oh, Lyssa le iba a pagar esta broma...

Comenzó a observar la playa lentamente, sus pasos eran inseguros. Sintió que podía perder el equilibrio y caerse de bruces en cualquier momento. La escasa luz apenas le permitía divisar el océano a un lado y la selva al otro. Pero no podía ver nada más, ni personas, ni edificios, nada. Guam no era exactamente Nueva York, pero era un sitio con ciudades, un aeropuerto, un embarcadero donde el *Phoenix*, el barco de UNR, debía estar estacionado.

Estacionado no, se recordó a sí mismo. Atracado.

Se detuvo al instante. ¿Cómo sabía eso? Él no sabía absolutamente nada de navegación.

—¿Will? —escuchó una voz en la distancia.

—¿Lyssa?

No, era una voz masculina.

—Will, ¿dónde estás?

Esa sí era la voz de una muchacha.

—¿Lyssa? —dijo y salió corriendo—. Lyss, no sé qué clase de broma crees que me estás haciendo...

Frenó de pronto. Dos muchachos y una chica iban corriendo a través de la playa, mirándolo como si acabara de resucitar. No veía a Lyssa por ninguna parte.

—¿Quiénes son ustedes? —preguntó Will—. ¿Dónde está mi hermana?

Se quedaron paralizados, mirándolo con unos ojos inmensos.

El primer muchacho, ¿sería el líder?, dio un paso hacia adelante con cautela.

—Will, soy yo, Luke. Estoy con Ian y Charla.

Will entrecerró los ojos para distinguir a los extraños. ¿Los conocía? Ellos parecían conocerlo a él.

—Escuchen, creo que me he perdido. Estoy buscando un barco llamado *Phoenix*. ¿Lo conocen?

Los otros tres intercambiaron una mirada incierta.

—El *Phoenix* se hundió, Will —dijo Luke—. Todos íbamos en él.

—¿De qué están hablando? —respondió Will—. Nunca en mi vida he estado en un barco. ¿Dónde está Lyssa?

—No sobrevivió —le dijo Charla con delicadeza—. Nosotros cuatro logramos subir a la balsa, pero nunca encontramos a Lyssa ni a J.J.

—No conozco a ningún J.J. ¡Tampoco los conozco a ustedes! ¿Dónde está mi hermana?

—¡Will, piensa! —le pidió Luke—. Tienes que recordar. Todos estábamos en el viaje de UNR.

Hubo una tormenta y después una explosión. Estamos vivos de milagro.

—Escúchame —dijo Will impaciente—, estás confundido. Mi viaje en barco aún no ha comenzado. No sé nada de ningún naufragio.

Charla trató de hacerlo entrar en razón.

—Por favor, Will. Trata de recordar. Estuvimos juntos en el naufragio. Si no, ¿cómo crees que terminamos en esta isla?

—¿En Guam, quieres decir? —preguntó Will exasperado—. Vine volando, ¡con mi hermana!

—Esto no es Guam —le dijo Luke con seriedad—. No sabemos dónde estamos.

—Ese es tu problema —dijo mirando hacia la oscuridad—. ¡Lyssa, Lyssa!

—Debe tener amnesia —dijo Ian en voz baja.

—¡Estás loco! —exclamó Will.

—No, en serio —le explicó Charla—. Estuviste muy enfermo en la balsa. Estuviste inconsciente por varios días...

—¡Eso es mentira! ¿Qué le han hecho a mi hermana?

Luke se acercó y le puso la mano en el hombro a Will con cariño.

Dominado por el pánico, Will se apartó bruscamente tambaleándose.

—¡Will, no te vayas! —gritó Charla—. Podemos ayudarte.

Como un animal perseguido, Will miró cada una de esas caras. Le estaban mintiendo, todos le mentían. Estaban tratando de engañarlo para... ¿para qué?

No tenía modo de saberlo. Estaba perdido... completamente perdido. Pero fuese lo que fuese, estos tres se habían confabulado. Estaba en un grave problema, y quién sabe lo que le había sucedido a Lyssa.

El instinto animal prevaleció. Con un grito inarticulado, se volvió y comenzó a correr por la arena.

Lanzó una rápida mirada sobre su hombro. Se estaban acercando. La muchacha corría como un guepardo.

—¡Déjenme en paz! —gritó Will.

Desesperado, dobló a la derecha y se metió en la selva. Charla le iba pisando los talones.

—¡No! —gritó Ian—. ¡Si nos perdemos allá adentro nunca nos volveremos a reunir!

Charla se detuvo en los primeros árboles.

—¡No podemos perderlo!

—Pero no lo podremos ayudar si estamos en una situación peor que la suya —afirmó Luke—. No podemos perder la cabeza.

—Pero... —Charla se echó a llorar—. Esto comenzó mal y cada vez se pone peor. Perder al capitán ya fue terrible. Lo sigo viendo en mis sueños. Después Lyssa y J.J. y ahora Will...

—No lo hemos perdido —susurró Luke—. Quizás los mosquitos lo obliguen a salir, como lo hicieron con nosotros.

—O quizás no —dijo ella sollozando—. Puede caerse y romperse una pierna. Puede quedar inconsciente otra vez. Y por ahí hay jabalíes.

—No son cazadores —aclaró Ian—. En el *Discovery Channel* transmitieron una vez un programa sobre jabalíes. Pueden ser horribles, pero no cazan a otros animales para comer.

Charla le respondió con amargura:

—Will no es un animal; es nuestro amigo.

—En la selva todos somos animales —dijo Ian muy seriamente—. Tenemos que cazar y recoger frutos para sobrevivir.

Luke se tendió sobre la suave arena.

—Un jabalí para mí significa sólo una cosa —dijo acariciándose el estómago—. Tocino.

Charla se sentó a su lado.

—No podemos ni abrir un coco. ¿Tú vas a acechar un jabalí, matarlo, despellejarlo y cocinarlo? Ni siquiera sabemos encender un fuego.

—Esa será nuestra primera tarea —dijo Ian—.

Con una gran fogata podremos llamar la atención de los barcos y aviones que pasen por aquí. Así podremos llevar a Will a un médico.

Charla miró la oscuridad del océano y dijo:

—¿Realmente crees que existe la posibilidad de que nos rescaten en este lugar?

Luke reflexionó sobre la situación.

—UNR consiste en mantenerlo a uno aislado. El viaje comienza en Guam, que es un lugar remoto, y después te llevan a otro más remoto aún. Y esto —dijo mientras miraba a su alrededor—, esto está un poco más allá todavía.

—Pero tendrán que buscarnos —respondió Ian—. Normalmente envían a medio ejército cuando se pierde un aeronauta o un alpinista. Seguramente nos buscarán cuando vean que no regresamos a Guam.

—Buscar y encontrar son dos cosas distintas —señaló Luke—. Por si no te has dado cuenta, el mar es muy grande, con miles y miles de islas exactamente iguales a esta. ¿Quién sabe cuánto tiempo tardarán en encontrarnos?

—Meses —predijo Charla sin mucho entusiasmo—. Años. Quizás nunca.

Sus palabras se quedaron flotando en el aire, subrayadas por el golpeteo de las olas.

Finalmente Ian rompió el pesado silencio.

—No es imposible, ¿saben? Hay miles de historias de personas que han sobrevivido en lugares como este.

—Quizás las haya —dijo Luke desalentado—, pero te apuesto a que hay muchas más que nunca se supieron porque jamás rescataron a los náufragos. Recuerda que el *Discovery Channel* no te puede entrevistar si desapareces de la faz de la tierra.

CAPÍTULO CUATRO

Día 2, 11:55 a.m.

Un rayo de sol tropical pasó por la lente izquierda de las gafas de Ian Sikorsky. Con mucho cuidado, el muchacho inclinó las gafas para que reflejaran el rayo intensificado sobre un montón de hojas que estaba frente a él, en la arena.

Todos contuvieron el aliento en absoluto silencio. Y entonces...

—No se ha encendido —observó Charla preocupada.

—Las hojas están aún un poco húmedas —dijo Ian con los ojos fijos en el pequeño punto de la luz concentrada en la superficie de las hojas.

—No, no están húmedas —dijo ella—. Las pusimos a secar sobre la arena durante tres horas.

—Tú has visto cómo llueve aquí. Están húmedas —dijo con un discreto, pero claro tono de desesperación: Ian tenía poca paciencia con la gente que le refutaba cosas obvias.

Hubo un chisporroteo casi inaudible y una pequeña columna de humo subió desde la pila. Y después... apareció una llama.

Charla dejó escapar un suspiro de alivio y entonces se dio cuenta de que había estado conteniendo el aliento.

Luke estaba muy ocupado atando lianas para armar un cobertizo. Se acercó corriendo para ayudar a Charla y a Ian a hacer una pirámide de ramas alrededor de las hojas encendidas. Muy pronto el fuego cobró fuerza. Pusieron ramas más grandes y gruesas mientras las llamas seguían creciendo.

—¿De qué tamaño tenemos que hacerlo? —preguntó Charla.

—Debe ser lo suficientemente grande como para que se vea desde muy lejos durante la noche —respondió Ian.

—Va a ser muy difícil que se vea de día —señaló Luke.

—Es cierto —agregó Ian—, pero si vemos un barco o un avión le echaremos ramas húmedas. Así saldrá mucho humo.

Reunir leña era un problema. Como no tenían con qué cortarla, tenían que alimentar el fuego con ramas caídas de los árboles u otros pedazos que encontraban. No había muchos troncos ni ramas gruesas. Había muchas ramas delgadas, pero estas se consumían rápidamente. Eso significaba que debían recoger un montón de leña para mantener el fuego vivo.

Esa tarde, los tres náufragos hicieron muchos

viajes a la selva trayendo montones de leña en sus brazos. Era un trabajo agotador. El sol era abrasador y la asfixiante humedad los aplastaba como si llevaran mochilas de cuarenta kilos en la espalda.

Luke estaba asombrado de que hubieran podido hacer todo eso cuando el día anterior habían sido arrojados por las olas a esta isla, más muertos que vivos. Era la prueba de cuánto se podía lograr con un poco de agua y alimentos sólidos.

En ese aspecto las cosas estaban mejorando. En la playa, cerca de allí, un coral asomaba su punta entre la arena. Charla le puso el nombre de abrelatas. Los cocos, duros, redondos y tercos, se rompían como huevos contra él. Esa mañana Charla demostró por qué era una de las mejores atletas jóvenes del país. Había subido a una palmera de diez metros de alto con la misma facilidad que si hubiera estado paseando por la playa. Desde allí tumbó una docena de cocos que sus amigos recogieron en la arena. Después de los duriones, la pulpa de los cocos les pareció tan deliciosa y sustanciosa como una cena de doce platos. El agua dulce de los cocos les supo mejor que cualquier batido triple de chocolate que Luke pudiera recordar.

También habían descubierto unos árboles de plátano. Platanitos los llamó Charla, pues eran muy pequeños: del largo del dedo índice. Eran suaves y dulces y los había a montones. Parecía que morirse de hambre ya no sería su principal preocupación.

Aunque desde luego tenían una larga lista de preocupaciones, se dijo Luke. Will...

Sacudió la cabeza para aclarar su mente. Will probablemente estaba bien. Primero tenían que ocuparse de su propia supervivencia. Después podrían buscarlo.

A media tarde ya habían terminado el cobertizo. Los tres estaban tan orgullosos como si acabaran de construir un rascacielos. No era nada hermoso, pero era una estructura muy funcional. Apoyaron y ataron el armazón de ramas y lianas a dos árboles al borde de la selva. Después fueron entretejiendo hojas de palmeras para hacer un techo inclinado.

—No va a impedir que entre la lluvia —le dijo Luke a Ian, que había diseñado el cobertizo.

—Le pondremos pedazos de corteza de árbol encima —decidió Ian—. Si ponemos una buena cantidad, lo harán impermeable.

Luke le sonrió. A Ian lo habían enviado a este viaje porque sus padres estaban preocupados porque no tenía amigos y se pasaba todo el tiempo viendo la televisión y navegando en la Internet. Pero ahora, esos cientos de horas viendo los programas de *Learning Channel* y de *National Discovery Explorer* comenzaban a rendir sus beneficios. Sin los conocimientos de Ian, reflexionó Luke, probablemente todos estarían muertos.

Luke y Charla levantaron la balsa que los había llevado hasta la isla y la pusieron contra uno de los extremos abiertos de su nueva casa. En el extremo opuesto, que les iba a servir de puerta, pusieron el gran pedazo de vela chamuscada del *Phoenix*. Era el pedazo que Ian había rescatado del barco en llamas y que los había protegido del sol cuando estaban en la balsa.

De ese modo, sólo quedó al descubierto la parte de atrás entre los dos árboles. Allí Luke y Charla pusieron otro armazón de hojas de palmeras entretejidas como las canastas.

—No es precisamente el Hilton —dijo Luke con sarcasmo—, pero nos mantendrá secos. Y la arena debe ser cómoda para dormir.

Habían estado trabajando sin descanso desde que el amanecer los había despertado diez horas antes. Los náufragos se dieron un descanso de treinta segundos.

Estaban exhaustos de tanto trabajar y aún

sufrían los efectos de su odisea en la balsa, pero cuando sus miradas se encontraron, se entendieron perfectamente y estuvieron de acuerdo.

—Vamos a buscarlo —dijo Ian mientras todos se dirigían hacia la selva.

CAPÍTULO CINCO

Día 2, 4.40 p.m.

En ese momento, quizás ninguno de los tres habría reconocido a Will si lo hubieran encontrado. Las ramas y las afiladas hojas de las palmeras le habían arañado la cara durante su desesperada carrera en medio de la noche. No podía creer lo denso que era el follaje. En cierto momento, tropezó con un grupo de helechos tan espeso que lo hizo rebotar hacia atrás como si las plantas lo hubiesen empujado.

Lo que había quedado de su cuerpo después de eso fue un festín para los mosquitos, nubes de mosquitos, que venían en olas sucesivas como un bombardeo de la Fuerza Aérea. Al principio trató de espantarlos con las manos, pero había demasiados... y tenía demasiada piel al descubierto. Al poco rato, cientos de ronchas de las picaduras crecieron en su piel hasta juntarse formando una horrible capa de piel roja y lacerada. Sentía la cara hinchada y deformada y los párpados semicerrados por la inflamación. La molestia era insoportable: era mucho más que picazón. Todo su cuerpo ardía con una violenta irritación que sólo empeoraba si se rascaba.

¿Dormir? ¡Ja! ¿Quién podría dormir en ese estado? Acurrucado como una pelota dolorida sobre el suelo, con raíces que le pinchaban el costado, hormigas que recorrían su cuerpo, mosquitos...

¡Ah!, los mosquitos...

Durante la noche llegó un momento en que no pudo más.

—¿Cómo me puedes hacer esto?

En ese momento, no le importaba quién lo escuchaba ni qué podría sucederle. Todo era inútil. No sabía ni a quién le gritaba.

¿A sus padres? Ellos habían enviado a su hijo y a su hija al otro extremo del mundo para hacer un viaje en barco, pero esto no podía ser culpa suya. ¿A Lyssa? Ella era insoportable, por supuesto, pero no era tan mala como para hacerle algo así. Probablemente, ella era sólo una víctima, igual que él.

¿A esos muchachos? Luke, Charla y el chico más pequeño... ¿Ian?

Will miró a través de un frondoso helecho y vio cómo desaparecían en la selva llamándolo.

¿Y cómo sabrían su nombre?

Tenían que estar metidos en este asunto de alguna manera. Habían hablado de Un Nuevo Rumbo. Y de Lyssa...

Por supuesto, podrían haberse enterado del

nombre de Lyssa por él. ¡Ojalá pudiera poner sus ideas en orden!

"Deben ser los mosquitos..."

Salió hacia la playa. Una gotita de sangre cayó en la arena y la enterró rápidamente con su maltrecho zapato. No quería que supieran que los estaba observando. Se había despertado con una sanguijuela clavada en su mejilla. No le dolía mucho... casi no la notó con todo aquel escozor. Pero la picadura no dejaba de sangrar.

¡Qué criaturas tenían aquí en Guam! Sanguijuelas, insectos, lagartos, cierto tipo de cerdo peludo.

Frunciendo el ceño, miró el primitivo refugio y la hoguera que rugía junto a él. Si esos muchachos estaban metidos en este asunto, ¿por qué vivían como cavernícolas?

Por el cuento del naufragio, por supuesto. Toda esa mentira de que el *Phoenix* había naufragado y ellos habían quedado abandonados en la isla. Por eso tenían que actuar como náufragos. Sólo que... ¿por qué tomarse tantas molestias para engañar a alguien? Will estaba solo, abandonado, indefenso. ¿Qué peligro podía significar para ellos?

Su cabeza zumbaba mientras trataba de entender la situación. Aunque era pleno día, aún lo veía todo como a través de una niebla gris plateada, pero no había ni una nube en el cielo. Quizás era el resplandor del sol en sus ojos, que ahora eran sólo un par de ranuras.

Una ráfaga de temor le agarrotó el cuerpo. Lo estaban persiguiendo. Era la única explicación. Lo necesitaban para algo y no se irían sin capturarlo.

"Pues no me van a capturar".

Retrocedió unos pasos en dirección a la selva y se quedó paralizado.

El campamento era primitivo, pero tenía una hoguera, lo cual era mucho más que lo que él tenía para pernoctar. Aunque el clima era cálido, la noche anterior había sido húmeda y fría.

Buscó entre la pila de madera y agarró una rama gruesa que puso sobre las llamas. Un momento después tenía una antorcha en la mano. Esta noche él tendría su propia hoguera.

Sus ojos inflamados se fijaron en el techo de la cabina apoyado contra uno de los lados del cobertizo. Leyó las letras: N-I-X.

N-i-x... "¿Phoenix?".

De pronto tuvo una efímera visión de un barco muy alto. Una goleta... con dos mástiles, sus blancas velas relucientes al sol mientras se deslizaba por la bahía.

No, imposible. No podía dejarse engañar así.

Observó la tela que cubría la entrada del cobertizo. Era de lona, con uno de los bordes chamuscados.

Su mente febril recordó las palabras de Luke la noche anterior: "Hubo una tormenta y después una explosión...".

Una explosión...

—No —dijo en voz alta—, están tratando de engañarme...

Ya iba a salir corriendo hacia los árboles cuando vio algo. Allí dentro del cobertizo: dos grandes racimos de diminutos plátanos.

Algo para comer.

Puso su antorcha en el fuego y se precipitó sobre los plátanos con una ferocidad que lo alarmó a él mismo. Los devoró en unos minutos y aún sentía hambre, como si comer hubiese desatado completamente su apetito. Y ahora había docenas de cáscaras por el suelo que delatarían su presencia. Podía ocultarlas, pero eso no explicaría la desaparición de todos aquellos plátanos...

Se incorporó, la cabeza le daba vueltas. No podía dejar que esos muchachos supieran que los estaba espiando. Agarró su antorcha y la acercó al cobertizo. Las ramas y cortezas secas se prendieron al instante.

Eso destruiría todo rastro. Excepto las huellas.

Pero las de Will no se diferenciaban en nada de otros cientos de huellas dejadas por esos tres muchachos. No se darían cuenta de que alguien había estado allí. Culparían al viento por el incendio del cobertizo.

Cuando Will llegó a los árboles, ya todo el improvisado refugio estaba en llamas.

CAPÍTULO SEIS

Día 3, 9.05 a.m.

"¡Qué tontos! —pensó Charla—. ¡Tontos, tontos, tontos!".

Dejó caer su carga de ramas para el nuevo refugio. "¡Qué tontos haber construido el viejo refugio tan cerca del fuego!"

—¡Qué pérdida de tiempo! —protestó.

Luke apareció arrastrando un leño delgado que serviría para uno de los postes principales.

—Somos náufragos en una isla desierta —le recordó—. Tiempo es lo que nos sobra.

—Qué buena broma —murmuró ella.

Luke le dio una palmada en el hombro para animarla.

—Fuimos unos tontos. La próxima vez tendremos más cuidado y no pondremos el cobertizo donde el fuego pueda alcanzarlo cuando le dé el viento.

Charla hizo una mueca al recordarlo. Cuando regresaron después de buscar a Will, no quedaba más que una pila de cenizas. Sólo la balsa se había salvado: era el segundo incendio que el techo de la cabina sobrevivía, aunque estaba bastante chamuscado. La mitad del nombre del barco, *NIX*, era casi invisible bajo las quemaduras.

—Vamos —dijo Luke—. Necesitamos más lianas.

En la selva, hallaron a Ian arrancando lianas de un árbol inmenso que había caído al suelo.

—El premio mayor —anunció—. Les apuesto que hay suficientes ramas para cubrir todo el techo y el frente.

Muy pronto, una gran pila de ramitas descansaba a su lado en el suelo. Charla reunió todas las que podía cargar y comenzó el regreso hacia la playa.

De pronto, algo alargado y fino cayó de la cima del árbol. Aterrizó en los hombros de Charla y se enredó rápidamente alrededor de su cuello.

Ian la identificó inmediatamente.

—¡Una serpiente!

Charla trató de arrancarla de un tirón, pero mientras más jalaba, más fuerte se enrollaba el largo cuerpo a su alrededor.

—¡Ay!

Unos dientes como agujas se hundieron en su piel un poco más arriba de una de sus muñecas.

Ian agarró una piedra y le dio a la serpiente en su cabeza chata. Aturdida, la serpiente dejó de apretar el cuerpo de la muchacha y Luke se las arregló para quitársela de encima a Charla.

—¡Tírala! —ordenó ella.

Luke la tiró. La serpiente salió dando vueltas como un trompo. Cayó en la tierra y se recuperó a la velocidad de un rayo, levantándose casi verticalmente.

—¡Qué control muscular! —dijo Ian—. Se apoya solamente en unos pocos centímetros de su cola.

—¿Tú sabes algo de estos animalejos? —dijo Luke agitado.

Ian le lanzó una piedra, pero falló por unas pulgadas. En un segundo, la serpiente se subió al tronco de una palmera y desapareció.

—Es una culebra arbórea parda —explicó—. Tenemos que tener más cuidado. Hay millones de ellas en estas islas del Pacífico.

—Olvídate de eso ahora —dijo Charla mostrándole su muñeca sangrante—. ¿Es venenosa?

El muchacho negó con la cabeza.

—Pero hay que evitar que se te infecte la herida. Deberías lavarla con agua salada en el mar.

—Buena idea —dijo Luke dirigiéndose a Charla—. Nada un poco. Nosotros llevaremos todo esto hasta la playa.

* * *

Con largas y poderosas brazadas, Charla nadó a través de las olas. La herida de su muñeca le ardía un poco por la sal, pero se sentía bien. Muy bien. Estaba asombrada al ver que su entrenamiento estaba dando resultados. Casi podía ver la piscina olímpica del gimnasio. Estilo pecho, mariposa, espalda, estilo libre, ¿cuántas vueltas había dado? ¿Mil? ¿Diez mil? Por lo menos. Todas ellas cronometradas por su papá con su eterno cronómetro en la mano.

Trató de calcular su velocidad, tomando en cuenta el efecto de las olas y la corriente. Una ola rompió en su cara y la trajo a la realidad. ¿Estaba loca? ¿Qué importaba si nadar cierta distancia le tomaba tres segundos o tres horas? Era una náufraga en una isla desierta. Quizás nunca más vería la civilización, mucho menos un equipo de natación. Sólo una fanática continuaría el entrenamiento en un momento como este.

De repente, dejó de nadar y se paró en el fondo de arena. Era una fanática cuando se trataba del entrenamiento. Y eso fue lo que la llevó a hacer la travesía en el *Phoenix*.

En la orilla podía distinguir a Luke y a Ian arrastrando montones de palos desde la selva y se sintió un poco culpable. Debería ayudarlos en vez de practicar para un evento que nunca iba a tener lugar. Mientras más pronto terminaran, más pronto podrían continuar la búsqueda de Will.

Unos destellos plateados le llamaron la atención y miró en el fondo del agua que le llegaba a la cintura. Un banco de peces de treinta centímetros de largo la rodeaban. Experimentó un momento de miedo, ¿serían pirañas?

Se relajó, fueran lo que fuesen solamente parecían curiosear, investigar algo nuevo en el océano.

Y de repente le vino a la mente: comida. Sus años de entrenamiento habían contribuido a que le gustara la comida saludable. Siempre había dicho que podía sobrevivir solamente de frutas, sin embargo, después de un par de días, si veía otro coco u otro plátano, gritaba.

¿Podría atrapar un pez con las manos? ¿Se podrían comer estas cosas? Ian probablemente lo sabría, pero si iba a preguntarle, el banco de peces ya habría desaparecido.

Era una cruda realidad de la naturaleza y de alguna manera era muy justa. No había jueces a quienes apelar, ni repetición instantánea. Cometías un error y el barco se hundía, o el refugio se quemaba. Si lo iba a hacer, tenía que hacerlo ahora, sin pensar.

Atacó de pronto. Metió la mano en el agua

y sacó un pez plateado que no dejaba de retorcerse.

Sorprendida y contenta por su pesca, lanzó un grito y comenzó a caminar hacia la orilla tratando de sujetar el pez. Alarmados por el grito, Luke e Ian corrieron por la arena a su encuentro.

—¿Qué pasó? —gritó Luke.

—¡El almuerzo! —exclamó Charla—. Capturé el almuerzo.

—Es un bonito pequeño —agregó Ian. Estaban impresionados—. Excelente para comer.

El almuerzo se agitaba enloquecido.

—Pero no está muerto —protestó Luke.

—Pues mátalo —insistió Charla.

Obediente, Luke alargó la mano y le dio al pez en la cabeza con la mano abierta. El bonito comenzó a sacudirse.

—Toma —le dijo Ian a Luke alcanzándole un palo de los que tenían para la construcción del refugio.

Luke lo agarró y golpeó en el mismo momento que Charla alarmada encogió las manos.

¡Bam!

—¡Ay!

El almuerzo cayó sobre la arena mojada y, antes de que pudieran reaccionar, el bonito saltó hacia la ola que llegaba a la orilla en ese momento y desapareció.

—¡Debías haber golpeado al pez, no a mí! —se exasperó Charla.

—¡Te moviste! —la acusó Luke.

Por un momento se miraron a los ojos y después comenzaron a reír. Aliviado, Ian también se echó a reír. De pronto, escucharon un ruido. No era uno de los ruidos habituales de la isla, de insectos, pájaros ni el vaivén de las olas. Era un ruido mecánico, el zumbido de un motor y una hélice.

Ian fue el primero en mirar hacia arriba.

—¡Un avión!

Apareció como un punto en el cielo que iba agrandándose y definiéndose. Era un hidroavión de dos turbinas. Y no cabía duda, se dirigía hacia la pequeña isla.

—Deben haber visto el fuego —exclamó Charla temblando de emoción.

Ian frunció el ceño.

—La posibilidad de que nos hayan visto el primer día gracias a una pequeña fogata es de una en un millón. No puedo entender cómo pudo haber pasado.

Luke le dio palmadas en la espalda.

—¡Sucedió porque, para variar, tuvimos suerte! —dijo con lágrimas en los ojos por la emoción—. Tenemos que encontrar a Will. Ahora sí podrá recibir atención médica.

Corrieron por la orilla de la playa agitando los brazos y gritando.

El avión retumbó por encima de sus cabezas y comenzó a cruzar la isla casi tocando las copas de los árboles con sus flotadores.

—¡Oigan! ¿Adónde van? —gritó Charla.

La nave desapareció sobre la selva. Los náufragos esperaron que diera la vuelta y regresara hacia ellos, pero no sucedió. Al contrario, escucharon cómo desaceleraba el motor, indicando el descenso. Unos minutos después, el ruido del motor había desaparecido completamente.

Luke estaba atónito.

—¿Por qué no aterrizaron aquí?

—No nos vieron —suspiró Charla, abatida.

Ian reflexionó. Quizás no vinieron hasta aquí por nosotros. Tal vez hay un pueblo o un puesto de avanzada al otro lado de la isla.

—Aun así es una buena noticia —indicó Luke—. Solamente tenemos que llegar hasta allí y pedirles que nos lleven a algún lugar. Aun cuando no haya espacio para nosotros, por lo menos podemos pedirles que nos envíen ayuda.

—¿Y si no los encontramos? —preguntó Charla.

Luke comenzó a caminar por la playa.

—Ese avión aterrizó en el agua. Si caminamos por toda la costa, lo encontraremos tarde o temprano.

Charla se apuró en seguirlo.

—Esperen —les gritó Ian; agarró un palo y escribió "ESTAMOS VIVOS" en la arena lisa y compacta de la orilla—. Por si acaso vienen a buscarnos mientras no estamos —explicó, mientras se apuraba para alcanzarlos.

Lo que comenzó como un paseo por la playa pronto se convirtió en algo mucho más difícil. Pasando el recodo más cercano a su campamento, la playa de arena terminaba dando lugar a una orilla de corales y acantilados empinados. En algunos lugares las rocas eran tan afiladas que tenían que meterse tierra adentro para pasar.

—Mantengan la vista en el mar —les ordenó Luke cuando tuvieron que meterse en la densa arboleda—. No dejemos que pase un avión por nuestro lado sin verlo.

—¿Crees que estamos muy lejos? —preguntó Charla mientras trataba de matar los mosquitos que se posaban sobre ella. Ian la miró pensativo.

—Es difícil decirlo. Por la playa íbamos muy rápido, pero desde que tuvimos que empezar a escalar por el acantilado, hemos trepado hacia arriba y hacia abajo sin avanzar mucho. Serán unos cinco... quizás seis kilómetros.

Parecía una carrera de obstáculos. Casi toda la costa estaba repleta de ensenadas semejantes a mordidas gigantescas en la orilla. Tenían que bordearlas y a veces vadearlas. Entre las ensenadas había peñascos altos, de modo que los náufragos se veían obligados a escalarlos constantemente. Cuando subían un risco, sus esperanzas se elevaban con el terreno... sólo para desvanecerse cuando llegaban a la cima. Porque entonces veían otra ensenada idéntica delante de ellos. La vista era bellísima, increíble, pero ellos sólo pensaban en ser rescatados. Cualquier paisaje que no tuviera un avión era una amarga decepción.

—Ojalá que no se hayan ido ya —dijo Charla—. Llevamos tres horas en esto.

—Habríamos escuchado el motor —dijo Luke sin aliento, comenzando a descender hacia otra ensenada.

El siguiente acantilado era muy empinado, casi vertical. Por suerte, en la cima había un matorral espeso. Luke ayudó a Charla a subir y agarrarse a uno de los troncos. Con su destreza de gimnasta, logró impulsarse con los brazos y llegar a la cima. Luego, sujetándose en el tronco con los tobillos, se colgó cabeza abajo. Eso les permitió a los otros escalar por su cuerpo atlético para llegar a la cima.

—¡Miren! —jadeó Ian señalando con el dedo.

Era el hidroavión: no estaba en la próxima ensenada, sino en la que seguía a esa. Se balanceaba suavemente en la laguna poco profunda que formaban la curva de la orilla y los corales muertos. Cuatro hombres caminaban con el agua hasta la cintura, bajando cajas del avión.

Hacía nueve días que los náufragos no veían un ser humano que no fuera uno de ellos. Y ahora tenían un equipo de rescate, con un avión.

Los latidos del corazón de Luke resonaban con tal fuerza en sus oídos que casi no lograba oír su propia voz.

—¡Oigan! ¡Aquí arriba! ¡Aquí!

Ian y Charla comenzaron a saltar y gritar.

Los cuatro hombres continuaron bajando la carga. Ninguno de ellos alzó la vista.

—Estamos demasiado lejos —exclamó Ian, enronquecido de tanto gritar.

Charla estaba llena de pánico.

—¡Vamos allá! —gritó.

Comenzó el descenso por la empinada ladera hacia la otra ensenada. Iba tan rápido que los demás, intentando seguirla, se tropezaban, caían y rodaban por todo el camino.

Corrieron por la orilla, como si fuera la recta final de una larga carrera. Desde abajo, al nivel del mar, no podían ver el avión ni a sus cuatro ocupantes, pero la imagen viva de los cuatro hombres que Luke tenía en su mente dio alas a sus pies al comenzar a subir de nuevo, detrás de Charla. Era el momento de la verdad. Detrás del promontorio estaba su rescate.

La ladera era rocosa, pero más corta y menos empinada que la anterior. Charla saltaba como una experta de roca en roca, y Luke iba pisándole los talones. Las manos y las rodillas le sangraban por los golpes contra las afiladas formaciones de coral, pero no le importaba. Nada importaba... excepto llegar hasta donde estaban aquellos hombres.

Ya podía ver la cima, a poca distancia de donde estaba.

¡Bam!

El eco repitió el sonido del disparo seis veces antes de que Luke dejara de contar. Su brazo se alzó rápidamente, agarró a Charla por la blusa y la jaló hacia abajo. Al mismo tiempo, con la otra mano le hizo un gesto a Ian para que se detuviera.

—¿Qué te pasa? —gruñó Charla—. Ya estamos llegando.

—Eso fue un disparo —susurró Luke.

—No, no fue un disparo —respondió ella—. Tal vez fue el motor del avión o algo...

—Quizás —dijo Luke sin mucha convicción—, pero tenemos que averiguar qué fue lo que pasó antes de que ellos sepan que estamos aquí.

Esta vez con mucho cuidado, subieron hasta la cima y miraron hacia la ensenada.

Allí estaba el hidroavión, pero ahora sólo había tres hombres en el agua. Y uno de ellos, un pelirrojo alto y de aspecto cadavérico, sostenía un revolver de cañón corto en la mano.

—¿Dónde está el otro? —susurró Charla con ansiedad.

Entonces lo vieron... flotando bocabajo en el agua cristalina. Estaba inmóvil.

Volvieron a esconderse detrás de la cima de la colina. En silencio, repasaron las imágenes y los sonidos de los últimos minutos y se dieron cuenta de su significado mortal.

Los ojos de Charla escrutaron primero una cara y luego la otra.

—¿Qué? No me van a decir que no vamos a bajar a la ensenada, ¿verdad?

—Acabamos de ser testigos de un asesinato —le dijo Luke—. Y esos tipos lo cometieron. No creo que se alegren mucho de vernos.

—Yo no voy a declarar contra ellos —prometió Charla—. Ya sé que suena muy egoísta, pero se trata de nuestras vidas. ¡Y de la de Will!

—¡Precisamente por eso no podemos ir!

—argumentó Luke—. Oye, esa gente es mala. No sé qué están haciendo ni qué hay en esas cajas, pero si mataron a una persona no van a tener muchos reparos en matarnos a nosotros también.

Charla comenzó a temblar.

—¡Discúlpenme! —gimió—. Pero no es justo. Ahí hay gente que nos puede rescatar y no podemos siquiera ir a verlos. Nunca más vamos a ver otro avión. ¡Jamás!

—Es increíble —coincidió Ian desanimado y perplejo—. Habría sido mejor que no hubiera venido nadie.

Luke asintió con tristeza. Le daba vueltas al problema en la mente, pero siempre llegaba a la misma conclusión: tenían que ocultarse de esos hombres; no cabía duda. Pero si él, Ian y Charla se escondían, ¿cómo podrían tener esperanza alguna de llamar la atención de un barco o avión que pasara cerca para rescatarlos?

Esconderse era la única alternativa, pero ¿no los condenaría a vivir para siempre abandonados en esa isla terrible?

CAPÍTULO SIETE

Día 4, 6.20 a.m.

El "campamento" de Will Greenfield estaba a menos de ochocientos metros de sus compañeros náufragos, en un pequeño claro de la densa selva. Apenas podía decirse que aquello era un claro, tampoco era un campamento. Lo único que tenía era una pequeña hoguera. Will dormía en el suelo fresco, acurrucado entre los troncos de los árboles. Unas raíces que sobresalían de la tierra le servían de almohada.

No era una cama muy cómoda, pensó Will, pero ya ni siquiera necesitaba dormir mucho. Increíble, pero cierto: sus picaduras de insectos y la lluvia intermitente lo mantenían despierto; el miedo y la desesperación lo mantenían alerta. Se acostaba porque en medio de la oscuridad total no podía ir a ningún sitio sin perderse, pero aun acostado, sólo dormitaba de vez en cuando. La mayor parte del tiempo se quedaba mirando el tronco caído que se extendía sobre él a muy poca distancia de su pecho. A la débil luz del fuego, veía miles de hormigas caminando entre las ramas muertas. Era una metrópolis de hormigas. Y lo ponían aún más nervioso. Parecían tan ocupadas. Mirarlas marchar de un lado a otro sin parar le infundía el urgente deseo de hacer algo.

El fuego era una gran ayuda. La noche anterior había pasado horas afilando con una roca las puntas de unas ramas rectas para hacer flechas. Por lo menos a él le pareció que fueron horas; no había forma de calcular el tiempo transcurrido después de la puesta del sol. Y con la primera luz del amanecer, salió a buscar en la selva una rama que le sirviera de arco.

Un arco y flechas. Incluso ahora parecía una locura. ¡Ni que él tuviera el valor de disparar contra alguien!

Esa idea lo hizo despabilarse. Esos muchachos eran peligrosos. Aún no sabía cómo, pero lo cierto era que lo habían separado de su hermana y ahora estaba perdido en Guam. No lo dejaban llegar al *Phoenix*, que quizás ya había zarpado sin él. Su vida podía estar en peligro y la de Lyssa también. Lo estaban persiguiendo y eran tres contra uno. Necesitaba un arma para defenderse de ellos.

Comenzó a probar algunas ramas para ver si eran flexibles. La primera se le partió en las manos y la dejó caer con un grito de desaliento. Era un inútil, de eso no cabía duda. Nunca se había peleado a puñetazos con nadie, excepto con Lyssa. Esa era otra historia. Él y Lyssa podían armar una verdadera pelea. En serio. Una vez fueron a dar al hospital por la golpiza que se habían propinado, y esa fue la razón por la que los enviaron a Un Nuevo Rumbo.

Aunque Lyssa era una pesada de primera categoría, hubiera dado cualquier cosa por ver ahora su cara. Lyssa era inteligente, hubiera averiguado cuál era el problema. Cada vez que Will trataba de entender la situación, volvían esa sensación nebulosa y los terribles dolores de cabeza.

"¡Ah, Lyss, nunca apareces cuando más te necesito!".

Halló una rama verde muy flexible en forma de C. Era perfecta.

Comenzó a probar las lianas. La mayoría se rompía a la menor tensión y las que resistían eran demasiado rígidas. Finalmente halló una suficientemente fuerte y elástica para su arco. Con mucho cuidado, le quitó las hojas y la ató al arco.

Ahora iba a probarlo.

Puso una flecha contra la liana y la estiró hacia atrás. Aunque nadie lo estaba mirando, sintió que se ruborizaba. ¿Quién se creía él que era, Robin Hood? Casi podía oír a Lyssa burlándose de él:

"Si logras herir con eso a alguien que no seas tú mismo...".

Antes de terminar la oración sintió un violento crujir de ramas, y entre la maleza apareció un bulto oscuro.

Will se quedó petrificado. ¡Era uno de esos cerdos salvajes! No, era más grande... ¡un jabalí! Tenía que ser. Era una bestia de piel negra, parecía un cerdo. Corrió a toda velocidad, con todas sus fuerzas. Will sintió que salía por los aires cuando el animal se lanzó contra él. La sangre comenzó a brotar de una de sus piernas donde la había rasgado un afilado colmillo.

Cuando logró incorporarse, vio que el animal se le venía encima otra vez. Por suerte, el jabalí era tan alocado como feroz. Atacaba hacia todas partes, cambiando constantemente de dirección, pero cada arremetida tenía el mismo objetivo final. Jadeando y gruñendo con furia, se preparó para volver al ataque.

"¡Un árbol! —pensó Will desesperado—. ¡Súbete a un árbol!".

Dominado por el pánico, miró a su alrededor. Había muchos árboles, pero todos los que estaban cerca eran palmeras de troncos largos y lisos, muy difíciles de escalar. Su mirada cayó sobre el arco que estaba en el suelo en el mismo lugar donde lo había dejado caer para escapar. ¿Dónde estaba la flecha?

Entonces la vio, un helecho la tapaba casi completamente. Había quedado en posición vertical, con la punta clavada en la tierra blanda.

En un instante repasó en su mente todas las razones por las cuales aquella era una mala idea: "No te va a dar tiempo. Aún no has probado el arco. Te vas a sacar un ojo. Mira esos colmillos...".

Se lanzó hacia la flecha en el momento en que el jabalí volvía a emprender el ataque. Agarró el arco y rodó, extendiendo una mano para tomar la flecha. Cuando la sintió en su mano, le dio un tirón para arrancarla del suelo, se sentó, apuntó y disparó.

La flecha salió disparada justo cuando el animal saltó sobre él. Le dio al jabalí en un lado del hocico, detrás de la nariz. ¡Un golpe certero!

¡Pacatán! Will cayó al suelo aplastado por todo el peso del animal. Estaba sobre él. Lo podía ver, sentir, oler. Pensó que los afilados colmillos pronto desgarrarían su cuerpo.

Y de pronto, la piel negra que le tapaba la vista desapareció. El jabalí herido se empinó como un caballo asustado, aullando de dolor. Después se volvió y desapareció una vez más en la selva.

Will estaba tumbado en el suelo, con el arco sobre su estómago, esperando que su corazón recobrara el ritmo normal. Cuando su cerebro salió de la parálisis del terror, generó un solo pensamiento:

"Necesito más flechas. Muchas más flechas".

CAPÍTULO OCHO

Día 4, 6.55 a.m.

Ian Sikorsky salió arrastrándose del cobertizo reconstruido, rascándose las picaduras de hormiga y, con los ojos semicerrados por la luz de la mañana, miró el techo del cobertizo.

Había estado lloviendo intermitentemente durante la noche. Inmensas gotas caían como bombas desde el techo del refugio. Los tres náufragos apenas habían podido dormir. Según un documental que había visto, la corteza de los árboles era impermeable. Desde el hundimiento del *Phoenix,* había aprendido la lección muchas veces: en la vida real las cosas no eran igual que en la televisión.

Suspiró desalentado. Si hubiera llegado a esa conclusión un mes antes, probablemente sus padres no lo habrían enviado a Un Nuevo Rumbo.

El recuerdo de sus padres, que estaban ahora tan lejos, lo hizo tragar saliva. Se sorprendía al pensar en las cosas que más extrañaba. El diagrama del sistema solar con los nombres de los planetas que tenía colgado en la pared, no podía recordar el nombre de dos de las lunas de Saturno. Sus peces de colores, Punto y Com. Incluso la carne asada que cocinaba su mamá, que era prácticamente letal, y el ruido que hacía su padre cuando practicaba el trombón...

Hizo un esfuerzo por concentrarse en el problema presente. ¿Necesitaba más cortezas el techo? ¿Otro tipo de corteza? ¿Pedazos más grandes y mejor colocados? ¿Barro para sellarlo?

Luke seguramente lo sabía. Siempre sabía qué hacer, no porque tuviera mucha información, sino porque sabía exactamente cómo usar la que tenía. Ian podía aprenderse la enciclopedia de memoria y aun así no ser capaz de tomar una de las difíciles decisiones que Luke tomaba cada día.

Si algo bueno podía salir de esta horrible situación, era haber conocido a un tipo fenomenal como Luke Haggerty.

Comenzó a llover otra vez. Al menos el *Discovery Channel* había estado acertado en eso. En los trópicos llovía mucho en verano.

"Piensa en la parte positiva", se dijo a sí mismo. La lluvia les proporcionaba agua para beber.

Los náufragos aún no habían encontrado un arroyo ni un manantial de agua dulce en la isla.

Probablemente no había ninguno... no abundaban en cayos pequeños como este. Eso quería decir que tendrían que sobrevivir con el agua que cayera de las nubes.

Caminó hasta el lugar de la playa donde habían puesto veintiocho cocos abiertos en la arena para recolectar agua de lluvia. Al lado de ellos estaba el gorro de plástico amarillo que Ian había rescatado del *Phoenix* en llamas. Un punto a favor de la televisión por esa idea. El gorro había sido su única fuente de agua dulce en la balsa.

"¡Ah...!".

Cada coco tenía poquísima agua... y había menos todavía en el gorro, que era más ancho. Era otro ejemplo de cómo se diferenciaban las cosas de la vida real de las de la televisión. Sí, poner recipientes afuera servía para recolectar agua de lluvia, pero desde luego no mucha agua. Los aguaceros eran fuertes, pero breves. Para tener un buen suministro de agua necesitarían muchos más cocos... o el diluvio de Noé. Con un gesto de disgusto, agarró el gorro y bebió el agua. Después bebió el agua de tres cocos de un tirón. No era suficiente... para nada, pero era todo lo que tenían, y no habría ni soñado tomar más de la que le correspondía.

Cuando terminó, sentía más sed que antes. Era una sed distinta de la que habían experimentado en los horribles días en la balsa. Aquel era un sentimiento abrasador y paralizante de desesperación... Sabía que si no tomaba agua, moriría en poco tiempo. Aquí siempre había un poco de agua: casi medio litro cuando necesitaban un litro; casi un litro cuando necesitaban tres litros. Era suficiente para sobrevivir, pero no para satisfacer la sed. Este era el tipo de sed que puede durar semanas, meses o tal vez años. No los iba a matar, pero haría algo peor: los iría consumiendo hasta hacerles perder la razón.

Enojado, Ian agarró uno de los cocos vacíos y lo lanzó al suelo con todas sus fuerzas. El coco rodó y desapareció detrás del banco de arena donde la orilla descendía hasta el agua.

Inmediatamente se sintió culpable. ¿Quién era él para tirar uno de sus valiosos recolectores de agua de lluvia? Fue corriendo a buscarlo.

Y se quedó paralizado.

Su corazón resonaba como un solo de batería. El esfuerzo que hizo por no desmayarse requirió hasta la última gota de la fuerza que le quedaba.

Un cuerpo yacía inerte en la arena. Sus brazos extendidos e inanimados rodeaban una sola palabra del letrero semiborrado que él había hecho en la arena: VIVOS. Otra broma pesada en una larga y cruel tragicomedia que los había lanzado a todos a esta isla.

No se sentía capaz de acercarse. Si era J.J. o Lyssa…

No, era un hombre adulto. ¿Sería el capitán…?

—¡Luke, Luke!

El sonido agudo y chillón de su propia voz lo aterrorizó. Debió asustar a los otros también, porque vinieron a toda carrera. Los tres clavaron sus ojos en esa silueta y se fueron acercando como si estuvieran vadeando en almíbar.

Luke fue el que se armó de coraje para acercarse y voltear el cuerpo. La piel estaba gris y los ojos desorbitados. La cara no parecía real, era como una figura de cera.

Dejaron escapar un suspiro de alivio colectivo. No era el cuerpo del capitán Cascadden.

—Ese es el tipo —dijo Luke con la voz entrecortada—, uno de los hombres del avión —dijo señalando un agujero de bala en el centro de la frente de la víctima—. Estábamos en lo cierto, lo mataron.

—Pero eso sucedió al otro lado de la isla —dijo Charla dubitativa—. ¿Qué hace aquí ahora?

—Posiblemente la corriente va en esta dirección —concluyó Ian.

No podía apartar los ojos de la herida mortal. Toda la sangre que podía haber brotado de ella se había disuelto durante las horas que el cuerpo había estado en el agua. Ahora el hueco de la bala era exactamente eso, un agujero, un espacio vacío.

En las últimas dos semanas, todos se habían familiarizado con la muerte. El capitán Cascadden del *Phoenix* había sido arrojado por la borda al océano. Sus compañeros de viaje, Lyssa y J.J., se habían perdido en el mar. Todos habían visto a Will perderse en la inconsciencia y después en una amnesia que aún le podía costar la vida. Pero esta era la primera vez que cualquiera de los náufragos se había encontrado cara a cara con un cadáver. Era impactante y repulsivo, pero al mismo tiempo hipnótico. Ninguno podía apartar la vista, pero también les presentaba un grave problema. Charla fue la primera en plantearlo.

—Oigan... ¿y qué vamos a hacer con él?

—No lo podemos dejar ahí —dijo Ian—. Su cuerpo se va a descomponer. Y los pájaros y otros animales...

La voz se le quebró. ¿Cuándo aprendería a callarse la boca? Nadie quería escuchar eso.

—Le daremos un entierro apropiado —dijo Luke de repente—. Conozco gente que nunca tuvo un funeral, aunque se lo merecía. Tenemos la oportunidad de enterrar a alguien. Vamos a hacerlo.

Tan pronto las palabras salieron de la boca de Luke, Ian supo que era la mejor alternativa.

Se sintió lleno de admiración. "Eso es lo que se necesita —pensó—, para ser un líder".

En su interior, Luke no estaba tan seguro. Enterrar a un hombre adulto iba a ser un trabajo tremendo, especialmente sin tener palas ni ninguna otra herramienta para cavar. Probablemente, todos estaban aún débiles de los días en la balsa. Lo único que habían comido en más de una semana eran frutas, y no tenían mucha agua. Sí, eso era lo que se debía hacer. ¿Pero tenía sentido hacerlo?

Nadie quería tocar el cadáver más de lo que fuera absolutamente necesario. Hicieron rodar el cuerpo hasta colocarlo sobre el ennegrecido techo de la cabina y lo llevaron como si fuera una camilla a la selva.

—Vamos a llevarlo lo más adentro que se pueda —sugirió Charla.

Luke entendió inmediatamente y estuvo de acuerdo. Este hombre ya no les podía hacer daño, pero una tumba era siempre un recordatorio de la muerte. Si lo enterraban muy cerca, donde iban a buscar comida y leña, iban a tener la presencia de la muerte en su vida cotidiana.

El cuerpo era pesado y el camino difícil. En algunas partes la arboleda era tan tupida que el techo de la cabina no pasaba entre los troncos de los árboles y tenían que cambiar de dirección. Siguieron adelante. Continuaron caminando sobre todo porque no sabían dónde detenerse. Eran muchachos que habían salido de viaje en un barco. ¿Cómo podrían estar listos para enfrentar todo lo que había sucedido después? Un naufragio. Estar a la deriva en medio del océano. Varados en una isla. Y ahora esto.

"Esto es una locura", pensó Luke. Era tan sólo un cadáver que no podía disfrutar del panorama. ¿Qué diferencia había en que lo enterraran en uno u otro lugar?

—Aquí mismo —decidió.

Entonces hubo que cavar. No tenían herramientas y tuvieron que hacerlo con las manos. Primero tuvieron que abrir la tupida maraña de lianas. Era un trabajo sucio. Los tres se cubrieron muy pronto de polvo que se convirtió en un barro viscoso con el sudor que les goteaba por el cuerpo. ¿Era así como Will vivía en el medio de la selva? Insectos por todas partes. Gusanos del tamaño de serpientes, cucarachas inmensas con alas, babosas gigantes, extrañas y gruesas orugas... Ian los llamaba los gusanos bolsa.

¿No era disparatado pensar que Will estuviera vivo en algún lugar de esta selva infinita? No habían visto ningún rastro de él en tres días. Quizás había recuperado la memoria y estaba tratando de encontrarlos, pero estaba perdido en el laberinto de la selva. Había tantos peligros. Si no veían una liana, podían caerse o fracturarse un tobillo. Will estaría a merced de las serpientes; no tendría modo alguno de conseguir agua ni alimento alguno...

"No pienses. Cava".

Tardaron más de una hora en abrir el hoyo. Finalmente, levantaron el cuerpo de la balsa, lo dejaron caer en la fosa y lo taparon con tierra. Para Luke, incluso el incendio y el naufragio del *Phoenix* habían sido más fáciles que esta terrible tarea.

Los otros pensaban lo mismo, todos estaban desesperados por dejar atrás esta experiencia.

—¡Vámonos de aquí! —dijo Ian jadeando cuando el último puñado de tierra estuvo en su lugar.

—No —dijo Luke sencillamente.

—¡Vamos! —le pidió Charla—. Esto es horrible. Ya enterramos al tipo, vámonos.

—Todavía no —insistió Luke—. Alguien debe decir unas palabras.

—No sabemos ni su nombre —se quejó Charla.

—Probablemente tiene una licencia de conducir, un pasaporte o algo así —señaló Ian—. No lo registramos.

Charla estaba impacientándose.

—¿Quieres cavar otra vez para hacerlo?

—Vamos a terminar con esto —dijo Luke.

Había estado en un solo funeral en toda su vida, el de su tío abuelo. Sus padres le habían puesto su mejor traje. Luke miró a su alrededor. Él y los otros náufragos llevaban pantalones cortos y camisetas rasgadas, desteñidas, llenas de salitre y enlodadas. Sus zapatos deportivos estaban estropeados y llenos de agujeros. No estaban vestidos como para presidir un acto fúnebre.

Como no sabía qué hacer, Luke se puso en posición de firme, como si estuvieran tocando el himno nacional en un partido de béisbol. Ian se puso una mano sobre el corazón.

—Todo lo que sabemos es que eras un tipo bastante malo que merecías lo que te sucedió —comenzó Luke—, pero quizás alguien, en algún lugar, te va a extrañar, del mismo modo que nuestras familias nos extrañan a nosotros. Ellos no sabrán dónde estás ni por qué no regresas a casa ni qué te ha sucedido. Y eso tiene que ser terrible para ellos —un sollozo contenido se le escapó a Ian; Charla le puso un brazo alrededor de los hombros—. O quizás alguien te extraña del mismo modo que nosotros extrañamos a Lyssa y a J.J., que no tuvieron nunca un funeral, ni siquiera uno tan malo como este. O quizás sea como lo de Will, sabemos que anda por ahí, pero...

En ese momento se le quebró la voz. Los tres estaban llorando. Aun en los momentos más desesperados en la balsa, no habían llorado como ahora. El sol brillaba en lo alto del cielo... más de medio día desperdiciado...

De repente, el llanto de Luke se transformó en furia. Sintió furia contra el juez por haberlo condenado. Furia contra el señor Radford, el segundo de a bordo del *Phoenix*, por haberlos abandonado. Furia contra sí mismo por haber dejado que Will se le escapara. Furia incluso contra el hombre que estaba enterrado, por haber muerto y haberlos hecho trabajar tanto.

Pasó ese momento. Respiró profundo.

—En fin, ¿a ti qué te importa? —terminó dirigiéndose al montón de tierra que estaba a sus pies—. Tú ya estás muerto.

—Amén —susurró apenas Ian.

—Descanse en paz —añadió Charla.

"El océano", pensó Luke. Era lo único que les podía limpiar este horror. Un largo chapuzón en el mar. Se inclinó para recoger la balsa.

—¡Espera! —exclamó Ian de repente.

El chico más joven señaló un pequeño claro entre los matorrales, a menos de tres metros de la fosa. Las vieron allí mismo, en la tierra blanda: huellas.

¡Will!

CAPÍTULO NUEVE

Día 4, 2.40 p.m.

—¡Está vivo! —exclamó Luke con alivio e hizo una bocina con sus manos—. ¡Will! ¡Will!

Charla lo agarró por un brazo.

—¡No grites tan fuerte! —le advirtió—. En esta isla hay asesinos.

—Esa es otra de las razones por la que tenemos que encontrarlo —replicó Luke—. Antes de que lo encuentren ellos.

Escucharon conteniendo el aliento. Oyeron el trino de los pájaros... y el zumbido de los insectos.

—Vamos, Will —gritó Luke un poco más bajo esta vez—. Sabemos que estás ahí.

Nada.

Y entonces, casi inaudible entre los sonidos de la selva... escucharon una lejana voz humana.

—Viene de allá —dijeron al unísono los tres náufragos.

Se miraron desalentados: cada uno estaba apuntando en una dirección diferente. Luke observó la huella del zapato.

—¡Por aquí!

Salió caminando, guiando a los otros. Lo

único que podían hacer era tratar de adivinar la dirección correcta, pensó Luke. Todas las otras huellas estaban cubiertas por la espesa hierba. Trataba de conservar en su mente la imagen de la huella de Will y seguir la dirección que indicaba como si fuera la aguja de una brújula. De todos modos, era imposible mantener el rumbo en este enredo de verde infinito.

"Pero cuando tienes una sola pista tienes que seguirla".

—Por favor, Will —Charla trató de proyectar su voz susurrante.

Siguieron avanzando entre la maleza, buscando cualquier señal de vida humana: una rama partida, un helecho aplastado, una liana torcida, pero no vieron nada.

Y entonces Ian halló otra huella.

—Tenías razón —exclamó Charla—. ¡Ya son dos! —dijo mirándolo fijamente—. ¡Ajá!

—¿Qué pasa? —preguntó Luke.

—Si esta huella es de Will —dijo Charla lentamente—, debe tener pies de distintos tamaños.

Ian se arrodilló.

—Y dos zapatos de distinto tamaño —dijo alzando la vista hacia Luke—. Aquí hay dos personas.

Luke respiró profundamente.

—¿Estás seguro?

Charla comenzó a temblar.

—¡Los hombres del avión! —dijo agitada—. Las huellas no son de Will, son de ellos.

Ian frunció el ceño.

—¿Pero qué estaban haciendo aquí?

—No me importa si están buscando huevos de Pascua —apuntó Luke—. Tenemos que irnos antes de que regresen.

Y entonces... oyeron quebrarse una ramita.

Se quedaron inmóviles, escuchando. Era el roce y las pisadas de gente que caminaba a través de la selva.

Luke dijo "agáchense" sin emitir sonido, y los tres se echaron al suelo tratando de esconderse entre la maleza.

Las pisadas se hicieron más fuertes. Los hombres andaban cerca. Luke trató de atisbarlos, pero no se atrevía a moverse por miedo a que lo vieran. ¿Dónde estaban? Como no había senderos, era imposible predecir qué dirección tomaría alguien al caminar por la selva.

De repente... se asomó una camisa roja. A Luke se le cortó el aliento en la garganta. ¡Estaban a unos metros de él! ¡Los asesinos venían caminando directamente hacia donde estaban ellos!

Era demasiado tarde para huir. Luke rodó hacia la derecha tratando de evitar que el hombre le pusiera el pie en el hombro.

—¡Oye! —dijo una voz sobre él.

Un instante después la figura tropezó entre la maleza detrás de él. Los habían descubierto. Estaban atrapados.

Luke no pensó; simplemente reaccionó. Con un solo movimiento agarró una piedra y saltó poniéndola contra la parte posterior de la rubia cabeza del intruso.

—Si te mueves eres hombre muerto —le dijo entre dientes.

Ian recogió las gafas de sol que se le habían caído al prisionero al tropezar. Eran extrañamente familiares: elegantes y plateadas. Le mostró disimuladamente a Luke la pata de las gafas. Tenía grabado: JONATHAN LANE, LA GLORIA DE LONDRES P.S.

Los ojos de Luke se le salieron de la cara. ¡Eran las gafas de J.J. Lane, su compañero de tripulación en el *Phoenix*! No cabía duda. No había otras iguales en el mundo... Paul Smith, el famoso diseñador de modas, se las había regalado originalmente a Jonathan Lane, el papá de J.J.

Luke dejó caer la roca.

—¿J.J.? —apenas se atrevió a susurrar.

El hijo del actor se dio vuelta.

—¿Luke?

—¡Estás vivo! —gritó Charla lanzándose sobre J.J. y abrazándolo llena de júbilo. Ian se sumó al abrazo. Luke les daba palmadas en las espaldas, los hombros... en cualquier lugar donde pudiera poner la mano.

Todos al mismo tiempo se detuvieron y agarraron a J.J. por la camisa.

—¿Lyssa...?

—Tranquilícense...

Y entonces una voz familiar le dijo:

—¿Tú crees que estos son verdaderos plátanos?

Lyssa Greenfield apareció entre los arbustos con un racimo de platanitos en la mano. Se quedó petrificada al ver a los cuatro amigos rodando entre la maleza. Estupefacta, trató de encontrar palabras.

—Pero si ustedes están muertos —logró decir finalmente.

—Tú eres la que estás muerta —le replicó Luke riendo con alivio.

—Oigan, ¿y qué les pasó a ustedes? —preguntó J.J.—. Parecen mineros de carbón.

A Lyssa le tomó unos segundos contarlos y darse cuenta de que faltaba uno.

—¿Dónde está mi hermano?

—No te asustes —respondió Charla rápidamente—. No está muerto... al menos no lo estaba hace tres días.

—¿Y por qué no está con ustedes? —demandó con la voz alterada.

—Se nos escapó —le explicó Luke—. No nos recuerda; no recuerda el viaje... él cree que está en Guam y que todo es culpa nuestra.

Lyssa estaba sorprendida.

—¿Se volvió loco?

—Tiene amnesia —explicó Ian.

—¿Perdió la memoria?

—Sólo olvidó las últimas dos semanas —replicó Luke—. A ti te recuerda... nos preguntaba constantemente: "¿Qué le han hecho a mi hermana?". Casi como si te hubiéramos secuestrado o algo así. Cree que el *Phoenix* está atracado en un puerto cerca de aquí y que tiene que buscarte para ir a presentarse a Un Nuevo Rumbo.

—Yo vi una vez un programa sobre eso —añadió Ian—. Se llama manía paranoide.

—Tenemos que encontrarlo —dijo Lyssa ansiosamente—. Yo le puedo hacer recordar.

Charla le puso un brazo sobre el hombro para animarla.

—Seguiremos buscando. Es difícil encontrar a alguien que no quiere que lo encuentren.

Lyssa pestañó para controlar las lágrimas.

—Pero ustedes no lo han visto en tres días. ¡Podría estar muerto!

—O podría estar evitando que lo encontremos —señaló Luke—. Eso sería una buena noticia: significaría que está vivo y alerta.

—¿De veras que podría sobrevivir solo en esta isla? —preguntó Lyssa dubitativa.

Luke abrió sus brazos.

—¿Podemos nosotros? Él tiene lo mismo que nosotros, es decir, prácticamente nada.

—Excepto lo que había en el bote salvavidas —apuntó J.J.

—¿El bote salvavidas? —repitió Charla.

—El bote inflable —le explicó J.J.—. Nos fuimos en él cuando el barco se hundió. Aún está en la pequeña ensenada por donde llegamos a la isla. Hemos estado viviendo allí estos días.

—¿Cómo llegaron ustedes hasta aquí? —preguntó Lyssa.

—En un pedazo del techo de la cabina del tamaño de una estampilla de correos —explicó Charla—. Uno de nosotros tenía que estar siempre en el agua colgado de la balsa para que no se volcara. Ustedes tuvieron suerte.

—¡Oigan! —el hijo del actor la interrumpió cortante—. Yo podría estar ahora mismo en Los Ángeles rodeado de autos deportivos, *jacuzzis* y muchas muchachas. No me vengas a decir que no he sufrido bastante.

—No peleen —ordenó Luke—. Todos estamos juntos en esto, ¿está bien? Tenemos miedo, estamos preocupados por Will... y estamos aburridos de comer cocos y plátanos.

J.J. y Lyssa se quedaron mirando sin expresión.

—A lo mejor ustedes han estado comiendo duriones —dijo Ian.

—Ellos están hambrientos, no locos —murmuró Charla con un gesto de repugnancia.

—Nosotros hemos estado comiendo lo que hay en el bote —dijo Lyssa—. Ya saben, la comida deshidratada para sobrevivir: pollo y puré de papa, carne guisada, platos picantes.

Luke parecía tan hambriento que hasta Lyssa se tuvo que reír.

—Mete la lengua. Sólo nos quedan macarrones con queso. Por eso andábamos por la selva, buscando algo de comer.

—Me encantan los macarrones con queso —espetó Ian y su cara se ensombreció—, pero me imagino que debemos guardarlos para una ocasión especial.

J.J. lo miró fijamente.

—¿Una ocasión especial? Estamos abandonados en el rincón más remoto del mundo. ¿Recuerdas lo lejos que estábamos de todo cuando íbamos en el barco? Bueno, pues aquello era Sunset Strip comparado con esto. ¿Qué ocasiones especiales vamos a tener? ¿El Día Nacional de la Cucaracha del Tamaño de un Volkswagen?

Luke estaba pensativo.

—¿Qué les parece el Día de Mudanza de la Balsa? El bote salvavidas es muy visible en la playa. Debemos ocultarlo entre los árboles.

—Pero si se trata de que esté bien visible —arguyó Lyssa—. ¿Cómo nos van a rescatar si nadie nos ve?

Luke les contó seriamente a sus dos amigos sobre el asesinato que habían presenciado y el cadáver que había sido arrojado a la orilla.

—Es un lío tremendo —concluyó—. Si un equipo de rescate no nos encuentra, moriremos en esta isla, pero si tratamos de llamar la atención para que nos rescaten, esos tipos nos descubrirán y nos matarán.

—Will —dijo Lyssa muy nerviosa—. Lo van a matar a él también. Y probablemente no sepa que ellos están en la isla.

J.J. habló entonces.

—¿Nadie más cree que todo esto es muy sospechoso? Se hunde el barco, quedamos abandonados; en la isla hay asesinos... ¡vamos!, ¿habrá alguien con tan mala suerte?

—Sí, les sucede incluso a los ricos —le dijo Charla con resentimiento.

—Todo es falso —se burló J.J.—. Te digo que aún estamos en Un Nuevo Rumbo y todo esto ha sido planeado. El barco se hundió porque estaba planeado que se hundiera... estaba preparado para que se hundiera. Los tipos de efectos especiales que trabajan en las películas de mi padre pueden hacer algo así en un abrir y cerrar de ojos.

Los demás respondieron con gruñidos. Esa había sido la teoría de J.J. desde el principio.

—El objetivo del viaje era hacernos olvidar que somos una partida de inútiles y hacernos trabajar en equipo —continuó—. Bueno, pues eso es lo que está sucediendo. Los supuestos criminales podrían ser actores contratados por UNR. Son simplemente otra prueba para nosotros. Y nosotros lo creímos... oigan, estamos actuando como una banda de focas amaestradas.

—Eres repulsivo, J.J. Lane —le espetó Lyssa—. Mi pobre hermano podría estar muriéndose en este mismo momento...

—Y eso es otra prueba de que tengo la razón —la interrumpió J.J.—. Will se puso demasiado mal y ellos lo que hicieron fue sacarlo del juego.

Probablemente nos esté mirando ahora mismo en una cámara escondida, comiendo un bistec, muerto de risa.

—El asesinato que vimos era real —dijo Luke en tono tétrico—. Y vimos realmente un cadáver.

J.J. se encogió de hombros.

—Una vez que mi padre estaba haciendo una película de horror, trajo a casa una mano artificial del cuarto de utilería. Parecía tan real que a mi madrastra, la número tres, casi le da un ataque al corazón.

—¿Sabes qué? En realidad, no tiene importancia —dijo Ian pensativo—. Ya se trate de algo simulado o real, de todos modos somos náufragos y tenemos que sobrevivir.

—Sólo que UNR no nos dejará morir —le recordó J.J.

—Hay exactamente dos razones por las que no estamos muertos —dijo Luke tristemente—. La suerte loca y los cocos. Y la suerte se acabó cuando llegó el avión. No hay nada peor que eso.

CAPÍTULO DIEZ

Día 4, 5.25 p.m.

Voces.

Will reaccionó al instante. Agarró su arco y unas cuantas flechas.

Oía el roce de las piernas y las pisadas en medio de la maleza.

Venían a atraparlo.

Y ya estaban cerca.

Hizo un gesto para apagar el fuego y se detuvo de pronto. Ese fuego era lo único que ahuyentaba a los insectos por la noche. Su traje de ronchas por las picaduras de los mosquitos estaba finalmente desapareciendo; el ardiente escozor se estaba haciendo casi soportable. Ya podía abrir completamente los ojos, aunque la neblina seguía ahí y los dolores de cabeza se habían intensificado. ¿Cómo se iba a ofrecer él voluntariamente a ser banquete de los escuadrones de insectos hambrientos?

"Debía haber una manera de..."

Metió los extremos de las flechas en un bolsillo trasero de su pantalón y colgó el arco de su hombro. Eligió una rama gruesa y la sostuvo sobre el fuego.

Las voces se oían más claramente ahora. En

medio de los sonidos pudo identificar una palabra: *Phoenix*.

Estaban hablando del barco.

Con su nueva antorcha en la mano, apagó la hoguera a pisotones y empujó con los pies un montón de lianas y hojas para cubrir todo rastro de fuego. Después se metió en un tupido grupo de helechos y se quedó vigilando.

Era el chico pequeño, al que llamaban Ian. Con él iba un muchacho rubio y alto que Will no había visto nunca e iba riéndose.

—Nadé hasta el bote de salvavidas y subí a bordo y entonces recordé que me había olvidado de soltar la amarra. El barco se estaba hundiendo y yo estaba aún atado a él. De modo que me incliné sobre la borda y traté de romper la amarra con mis dientes... lo cual no era muy fácil porque estaba quemándose.

Will hizo una mueca de disgusto. Más mentiras sobre el naufragio. ¿Pero para qué las siguen contando?

Se quedó paralizado. ¿Sospecharían que él los estaba escuchando? No tenía sentido. Hubieran venido a capturarlo si supieran dónde estaba. ¿Por qué estaban hablando de un desastre que nunca había ocurrido?

—¿Y no había un cuchillo en el equipo de supervivencia? —le preguntó Ian.

—Sí, pero ¿quién tiene tiempo de buscarlo? —exclamó el muchacho mayor—. Mordí esa amarra desesperadamente para salvar mi vida. Entonces el *Phoenix* comenzó a hundirse y yo pensé: "Se acabó. Soy hombre muerto". Y en ese momento la amarra se rompió por el fuego y me libré del barco. Esos tipos de UNR... cuando quieren asustarte lo logran de veras.

—Me parece muy raro que ellos estén detrás de todo esto —dijo Ian.

—Ya verás. Estamos perdiendo el tiempo. Will ya no está en la isla. Probablemente esté en la habitación de un hotel, viviendo a sus anchas.

¿La habitación de un hotel? ¿De qué estaba hablando?

Mientras Will miraba al muchacho rubio, supo en un instante algo que era imposible que él supiera de antes. En una pata de las gafas del muchacho había un mensaje grabado: LA GLORIA DE LONDRES.

"¿La gloria de Londres?".

Estaba confundido. ¿De dónde le había venido una idea tan loca? Este tipo era un extraño para él. Y sin embargo, la idea era tan clara en su cabeza, que Will casi podía ver las letras grabadas en el lujoso metal.

Imposible. Y sin embargo, no sería la cosa más rara que le había sucedido en los últimos días.

¿Se estaría volviendo loco?

Y entonces oyó una palabra que había estado en su pensamiento constantemente en esos días: Lyssa.

—Sí, ya estaba en el agua cuando la encontré —estaba diciendo el muchacho rubio—. No sé cómo llegó hasta allí. Le voy a preguntar.

"¡Le voy a preguntar!". Will se quedó tieso como una vara. ¡Ellos sabían dónde estaba Lyssa!

Se esforzó por procesar mentalmente la información. No podía dejar que se fueran. Eran dos, pero él tenía su arco y sus flechas. Los obligaría a decirle dónde estaba su hermana, aunque eso fuera lo último que hiciera en la vida. Si no querían hablar, les tendría que...

¿Qué? ¿Tirarles una flecha? Nunca sería capaz de eso.

Probó la cuerda del arco con su mano libre. "Sí, lo haría. Era cuestión de vida o muerte. Le disparé al jabalí y les dispararía a ellos también".

Los dos muchachos estaban a menos de seis metros. Will se preparó para salir. Nunca estaría más cerca de ellos...

Pasó el momento. Will entrecerró los ojos cuando se alejaban. No hizo nada.

Había una manera mejor de hacerlo.

CAPÍTULO ONCE

Día 4, 9.45 p.m.

Luke alumbró el equipo de supervivencia con la linterna.

Ese acto sencillo le pareció un milagro. Tan sólo ayer, la puesta de sol significaba el fin de toda actividad en la isla. La oscuridad era absoluta, total. Ahora tenían luz artificial, cortesía del bote inflable.

Mientras J.J. e Ian buscaban a Will, Luke y las muchachas habían trasladado el bote salvavidas desde la ensenada donde estaba hasta un lugar entre los árboles en el campamento de los náufragos. No fue fácil maniobrar un objeto tan grande a través de la intrincada selva. Lo hicieron rodar, lo cargaron, lo apretujaron y hasta lo lanzaron al aire en alguna ocasión, pero cuando Luke quitó la cubierta del equipo de supervivencia, se dio cuenta de que había valido la pena.

—¡Somos ricos! —exclamó.

No, esto era mucho mejor que el dinero.

Mucho más útil.

Había pequeñas cazuelas de aluminio, sartenes y platos. Vasos y cubiertos de plástico. Una brújula, un cuchillo, un encendedor y fósforos a prueba de agua. Un botiquín de primeros auxilios. Cuerda de pescar y anzuelos.

Y ahí estaban los macarrones con queso. Un hueco se le abrió en el estómago. Las frutas podrían mantenerlos vivos, pero esto era comida de verdad. Y un paquete grande. La etiqueta indicaba 10 porciones.

Luke sintió un deseo desaforado de morder el paquete con envoltura y todo. ¡Oh! Los otros lo matarían y con toda la razón. Colocó nuevamente el paquete en el equipo de supervivencia. Esta era su última comida, el último recurso. Tenían que reservarla para cuando estuvieran realmente desesperados.

Levantó el barril de agua del bote salvavidas. Estaba casi vacío, pero podría serles útil. El agua de lluvia que recogían en los cocos vacíos se evaporaba y casi nunca les quedaba nada cuando la necesitaban. Ahora tenían un recipiente que podían cerrar y que sería de gran ayuda.

"Para que nos mantenga vivos y así podamos morir aquí —pensó de pronto—. O nos maten".

Era una batalla constante: su cerebro contra su ánimo. Pasaba los días poniéndose metas realistas: encontrar comida, encontrar agua. Seguir buscando a Will.

"Dos compañeros de a bordo aparecieron hoy después de que los habían dado por muertos —se recordó a sí mismo—. Si eso no te levanta el ánimo, nada lo hará".

Suspiró. En estos días, sobrevivir significaba ganar estas batallas consigo mismo.

Con el barril bajo el brazo, se agachó para salir por debajo del toldo que cubría el bote como si fuera una tienda de campaña. Los otros cuatro estaban sentados alrededor del fuego. La luz danzante de las llamas se dibujaba en sus caras. Parecía irreal, como la escena de una película. Luke creyó haber interrumpido la conversación.

Recogió con cuidado un coco vacío para no derramar el agua de lluvia que contenía.

—De ahora en adelante, usaremos este barril para recoger agua.

—Buena idea —dijo Lyssa—. Oye, Luke, ¿qué crees que le pasó a Radford?

Luke apretó el coco con más fuerza. De los seis miembros de la tripulación que no soportaban al segundo de a bordo, él era el que más lo detestaba.

—Personalmente, no pienso nunca en él —contestó con rudeza—, pero ahora que lo mencionas, sólo deseo que se le haya aparecido el tiburón más grande del océano y le haya arrancado la cabeza.

Radford había demostrado ser mucho más que un marinero abusivo. Con el barco inutilizado y hundiéndose lentamente, se había escapado durante la noche en el bote salvavidas de cuatro metros, llevando consigo casi toda la comida. De hecho, los había dejado a morir. Fue por esa razón, y por sus esfuerzos por encender el motor, que se produjeron la explosión y el incendio y el barco se fue a pique.

—¿Pero crees que haya regresado a Guam? —preguntó Charla.

—Cara de Rata es un marinero con experiencia —musitó Luke mientras bebía el agua depositada en otro coco—, pero estaba en el océano Pacífico en un bote pequeño. Una ola grande lo pudo haber volteado.

—Radford está bien —dijo J.J.—. Todo es parte del juego.

—En tu mundo de fantasía —agregó Charla molesta.

—Bueno, nunca hubiera sobrevivido realmente en ese montón de paletitas de helado —respondió el hijo del actor—. Su propio hedor lo hubiese matado.

—Qué chiste —dijo Luke—. Ese tipo es tan malo como los hombres del avión. Peor, porque a él le estaban pagando por cuidarnos —y al decirlo movió la muñeca y se llevó a los labios el coco para chupar el agua que se había derramado—. Sólo escuchar su nombre me enfurece.

Los cinco habían acordado pasar la noche en el bote inflable. La arena de la playa era suave y cómoda, pero cuatro noches comidos por los mosquitos los habían convencido de que había que buscar otro lugar para dormir. Mientras los otros se retiraron para dividir el espacio donde iban a descansar, Lyssa se quedó afuera apagando el fuego para no ser descubiertos por los hombres que estaban al otro lado de la isla.

Era horripilante saber que había asesinos rondando en la oscuridad. Después de todo lo que habían pasado, era demasiado que también hubiera asesinos en el pequeño cayo donde los dos grupos de náufragos habían llegado.

Lyssa vio acercarse un hilo de luz por el bosque. Su primera reacción fue de pánico. ¡Eran ellos!

Entrecerró los ojos e hizo un esfuerzo por ver en la oscuridad. Nada. ¿Acaso sus ojos la estaban engañando?

De pronto, una mano salió por detrás y le tapó la boca. Su grito se amortiguó con la fuerza de la mano. Forcejeó, pero su asaltante la agarraba firmemente. Y entonces le susurró al oído:

—¡Cálmate, Lyss! ¡Soy yo!

¿Will? Si no la hubiera estado agarrando tan fuertemente, se hubiera desplomado al suelo por la impresión.

"¿Estás vivo? ¿Qué te pasó? ¿No te acuerdas del naufragio?". Un montón de preguntas le vinieron a la mente. Había tantas cosas que decir. Sin embargo, cuando abrió la boca no pudo hablar. Muda, giró y se abrazó a su hermano. Él se resistió por un instante y después la estrechó en sus brazos. Se abrazaron con tanta intensidad que por un momento el peligro, el horror y el miedo dejaron de tener sentido. Una pequeña parte de Lyssa, que parecía estar fuera de sí misma, se dio cuenta de que esta era la primera vez que recordaba haber abrazado a Will. Finalmente pudo hablar.

—No puedo creer que seas tú.

—¡Shh! —Se puso rígido y retrocedió—. Nos van a escuchar. ¡Tenemos que irnos de aquí ahora mismo!

—Will, ellos son nuestros amigos.

—No los oigas, Lyss —le advirtió Will—. Todo lo que dicen es mentira. Me dijeron que estabas muerta.

—Eso era lo que pensaban —trató de razonar Lyssa—. Yo pensé lo mismo de ellos cuando se hundió el bote, y también de ti.

Apretando su antorcha, Will retrocedió un paso, con los ojos bien abiertos, sorprendido.

—Te han lavado el cerebro.

—No.

No quiso ponerse a pelear porque por primera vez se había detenido a mirar realmente a su hermano. Había perdido peso, todos habían perdido peso, pero era mucho más evidente en Will. Su cabello se había oscurecido, sus ojos estaban encendidos y tenía más picadas de mosquitos que piel. Llevaba un arco colgando de uno de sus hombros huesudos. Y olía muy mal. Parecía un salvaje, pensó angustiada. No tenía esperanza de hacerlo razonar. De hecho, sólo creía que había una manera de salvarlo.

—¡Luke! —gritó—. ¡Muchachos! ¡Vengan rápido!

Sorprendido por la traición, Will giró para correr. Ella se abalanzó sobre él rodeando su liviano cuerpo con sus brazos. Él se la quitó de encima con fuerza. El pie de Lyss se enredó con una liana y cayó al suelo de sopetón.

Will se dio la vuelta y la miró.

—¡Volveré! ¡No dejaré que te hagan daño!

Cuando Luke y los otros lograron salir del bote salvavidas, Will ya se había adentrado en la selva y el hilo de luz de su antorcha desaparecía en la densidad de los árboles.

CAPÍTULO DOCE

Día 4, 11.10 p.m.

Will se estaba familiarizando con la selva. ¿Quién hubiera soñado que él alguna vez podría diferenciar un helecho de otro?

Pero sí podía. Bueno, no exactamente. Las plantas individuales todas se parecían, especialmente a la luz de la antorcha. Lo que comenzaba a reconocer era dónde estaba todo: cocoteros a la derecha, arbustos de hojas grandes a la izquierda, un salto para cruzar el tronco de árbol caído, los extraños helechos entrecruzados, casi se sentía como en su casa.

Sentía un poco de orgullo. Will siempre fue el tipo de niño que cuando se descomponía la televisión o se acababan las palomitas de maíz, se desesperaba. Una vez, un apagón de ocho minutos lo llenó de pánico. Ahora, sin embargo, atravesaba la selva solo, en la oscuridad casi total de la noche.

Si Lyssa pudiera verlo.

Lyssa lo había visto, recordó. Hacía sólo unos minutos. Y ella se había negado a acompañarlo. ¿Cómo podría rescatarla?

"Para rescatar a Lyssa —pensó— primero debo rescatarme a mí mismo".

Pero ¿cómo lo haría? ¿Adónde iría? ¿Qué debía hacer?

Por un momento, la niebla plateada lo envolvió una vez más. Cerró los ojos y siguió hacia adelante. Cuando los abrió nuevamente, se encontraba junto a las palmeras gemelas de su campamento.

Echó un puñado de hojas secas sobre lo que quedaba de su fogata y acercó su antorcha.

La leña se encendió enseguida y con el resplandor de las llamas se dio cuenta de que no estaba solo.

Al principio, la criatura parecía un pequeño montón de paja, hasta que movió la imponente cabeza y emitió un sonido.

Will dio un salto. Era un jabalí.

"¡Al ataque!".

Tomó posición esperando el ataque, pero no pasó nada.

El animal emitió otro sonido.

Will entrecerró los ojos para ver mejor a la luz de su antorcha. El hocico estaba manchado de sangre en el lugar donde aún se veía el pedazo de la flecha.

Apretó el arco con la mano mientras sacaba

una flecha de su bolsillo. Podía matar al animal. Matarlo y comérselo.

"Sí, seguro. Tú que eres tan cobarde que no te atreves a sacarte ni una astilla".

Dio un paso hacia adelante.

"Cuidado. No hay nada más peligroso que un animal herido."

Pero este estaba a punto de morir.

"Bueno, para eso le lanzaste la flecha, ¿no es cierto?".

Con mucha cautela, Will se acercó al jabalí y se agachó a su lado. Los ojos rojos del animal parecían haber perdido su color, estaban hundidos en su cabeza. Se inclinó hasta sentir el aire caliente de su aliento ahogado. El animal lo miró con recelo, pero no se movió. Will extendió la mano y el jabalí trató de retroceder, pero no tenía fuerzas para incorporarse.

Cuando agarró el pedazo de flecha con su mano, el jabalí aulló de dolor, sacudiendo el hocico. Por suerte, la flecha se desprendió enseguida, pues era sólo una rama afilada en la punta, sin protuberancias. Salió un poco de sangre fresca de la herida.

¿Por qué lo hacía? Ese animal era proteína y, además, una presa fácil. La proteína significaba energía, y energía era lo que necesitaba para rescatar a Lyssa y hallar el modo de salir de toda esta situación.

Will puso una flecha en el arco y tensó la cuerda, apuntando directamente al cuello del animal.

"¿Qué demonios? Es todo cuello. El cuello parece llegarle hasta el trasero".

Caminó alrededor del jabalí, apuntando detrás de las orejas. Este lo miraba con unos ojos perdidos e incoloros.

Will estaba sudando. Era esa humedad de Guam que lo hacía sudar, pero ahora las gotas salían de su cuerpo como si fuera las cataratas del Niágara. ¿Por qué no lo podía hacer? Él siempre comía hamburguesas con tocino y queso. Y esto no era nada diferente.

"Excepto —pensó Will— que cuando vas a McDonald's no sientes la respiración de tu cena en tu pierna antes de comértela".

Puso el arco en el suelo.

—Te propongo algo —le dijo en voz alta al jabalí—. Voy a buscar más leña para el fuego. Si vas a escapar, tienes que hacerlo antes de que yo regrese.

Pero cuando regresó con una pila de ramas entre los brazos, el jabalí no se había movido ni una pulgada.

—Voy a dormir una siesta. Si no te has ido cuando despierte, serás mi cena.

No pudo dormir. De vez en cuando miraba con los ojos semicerrados al jabalí, que seguía tumbado junto al fuego.

—¿Cuándo acabarás de largarte? —gritó Will furioso—. ¿No te das cuenta de que para ti es cuestión de vida o muerte?

Pero de algún modo, en lo profundo de su ser, sintió la sospecha de que el jabalí era más inteligente que él.

Will miró al animal.

—Crees que no tengo el valor de hacerlo, ¿verdad? Pues te equivocas. Tienes el resto de la noche para escapar. Si aún estás ahí cuando salga el sol, voy a almorzar chuletas de jabalí.

Se despertó al amanecer. Sintió un hormigueo en las piernas, que estaban entumecidas. Cuando miró, vio al jabalí dormido, acurrucado sobre sus pies.

—¡Oye! ¡Sal de ahí, jabalí!

Con una patada logró sacar los pies y se incorporó tambaleando, tratando de recuperar la circulación en los pies. El jabalí lo siguió como un perrito.

—Tenías que haber escapado.

Will se sentía disgustado y feliz al mismo

tiempo. El jabalí se restregó contra sus piernas, empujándolo con todo el peso de su cuerpo.

—¡Oye, ya está bien, jabalí! ¿Jabalí? —dijo cayendo sentado al suelo—. Creo que debo ponerte un nombre —se rió—. No te puedo llamar "jabalí".

Pero ¿qué nombre puedo ponerle a un patán peludo de mirada turbia y mal carácter?

—Ya sé —dijo Will—. Cara de Cerdo.

Frunció el ceño. Cara de Cerdo era perfecto, pero le trajo a la mente otro nombre: Cara de Rata.

No tenía sentido. Tenía cara de cerdo, no de rata.

¿Por qué el nombre le sonaba tan bien? ¿Y tan familiar?

—Cara de Rata —dijo en voz alta.

El jabalí escupió un bocado de hojas mordisqueadas y soltó un eructo bestial.

Y se quedó con Cara de Rata.

CAPÍTULO TRECE

Día 5, 8.05 a.m.

Además del refugio y las provisiones que tanto necesitaban, el bote salvavidas inflable les proporcionó un inesperado beneficio bajo el sol implacable: oscuridad. Por primera vez desde que habían llegado a la isla, Luke no se despertó con la luz del sol al amanecer.

Hubiera dormido muchas horas más, todos habrían dormido, si no hubiera sido por el ruido. Al principio era muy débil y remoto, pero se fue haciendo cada vez más intenso. Los náufragos escucharon con atención. Era el ruido del motor de un avión. ¿Sería que...?

—¿Se están yendo? —preguntó Ian emocionado.

—¡Oh, Dios, por favor! —suspiró Charla.

Salieron de la balsa y miraron hacia arriba buscando el hidroavión bimotor, pero la densa capa de ramas y hojas de palmeras les impedía ver el cielo, excepto en algunos diminutos puntos azules aquí y allá.

—¡A la playa! —exclamó J.J. mientras se disponía a salir corriendo.

Luke lo agarró de la muñeca y lo detuvo.

—Es peligroso. Podrían verte.

Esperaron que el ruido del avión se alejara, pero el zumbido de los motores seguía a todo volumen, como si estuviera justo encima de ellos. Y entonces, de pronto, el ruido cesó. Luke frunció el ceño.

—¡Qué extraño!

—¿Crees que siguen aquí? —preguntó Lyssa.

—Pero ¿para qué encenderían el motor si no se iban? —dijo Charla confundida.

Ian se encogió de hombros.

—Quizás se fueron. El ruido sobre el mar es distinto.

—Tenemos que averiguar qué pasa —decidió Luke.

—Esa ensenada está al otro lado de la isla —le recordó Charla—. Tardaremos medio día en ir hasta allá.

—Tal vez no —apuntó Ian—. Ahora tenemos una brújula. Podemos determinar la dirección e ir por un atajo a través de la selva. Eso nos ahorrará mucho tiempo.

Sacaron la brújula. Ian puso el norte de la esfera en la dirección que indicaba la aguja.

—Creo que deberíamos ir casi directamente hacia el este —estimó—. Quizás con unos grados hacia el sur.

Buscó en el equipo de supervivencia y sacó

un cuchillo. J.J. lo miraba con una expresión de burla.

—Ellos tienen armas de fuego. ¿Qué vas a hacer con algo tan pequeño, limpiarte los dientes?

Ian agarró el cuchillo e hizo una pequeña incisión en la corteza de una palmera.

—Vi un documental sobre Lewis y Clark en el *History Channel* —explicó—. Siempre debes marcar tu ruta para encontrar el camino de regreso.

Era mucho más fácil ir a través de la selva, aunque tenían que circunvalar constantemente los lugares donde la vegetación era más densa, algunos de diez o quince metros de ancho. En menos de una hora llegaron a un peñasco bajo que daba a la costa. Entonces cambiaron de dirección y se dirigieron al sur.

—¡Oigan!

En ese mismo momento, Lyssa se cayó de bruces entre los arbustos.

—Deben haber sido esas grandes hormigas bromistas que hay en la isla —se burló J.J. ayudándola a levantarse—. Cuidado, también les gusta andar por ahí jalando la ropa interior.

—¡Qué simpáti... —Lyssa, sin terminar la frase, se quedó mirando al suelo—. Ya sé que parecerá una locura, pero ¿creen ustedes que aquí habrá habido alguna vez una acera?

—¡Por supuesto! —respondió J.J. con sarcasmo—. La hicieron hace tiempo, cuando estaban construyendo el centro comercial...

—¡Mira! —lo interrumpió ella.

Casi cubierta por la tierra húmeda, había una forma gris muy familiar. Estaba rota y en ruinas, la hierba brotaba entre las grietas, pero el borde que sobresalía de la tierra era perfectamente recto.

No cabía duda: Era un pedazo de cemento fundido.

—Aquí hay otro —dijo Charla pateando el lodo unos metros más allá.

Se separaron y comenzaron a cavar con las manos y los pies. Hallaron pedazos de cemento que cubrían una gran distancia, desde el peñasco hasta el interior de la selva.

—Tal vez es el Paseo de la Fama —sugirió J.J.— en el que los lagartos más famosos hacen impresiones de sus colas en el cemento.

—Esto demuestra algo —dijo Luke—. La isla no siempre estuvo desierta. Aquí vivieron seres humanos.

—Y fue después de la invención de los caminos pavimentados —apuntó Ian.

Charla asintió con la cabeza.

—Pero ¿quién construye caminos en medio de la selva?

Todos se volvieron a Ian, pero esta vez él no sabía la respuesta.

Los náufragos siguieron su camino hacia el sur. Poco después, vieron una laguna poco profunda donde habían presenciado el asesinato dos días antes. A Luke le parecía que habían pasado mil años desde aquel suceso.

—Agáchense —ordenó.

Los cinco se agazaparon, atisbando entre los árboles. Lyssa se asomó por encima del hombro de Luke.

—¿Ves algo? ¿Se fueron?

En la orilla de la playa, había dos hidroaviones.

CAPÍTULO CATORCE

Día 5, 9.50 a.m.

Charla estaba perpleja.

—¿Otro avión más?

Luke miraba incrédulo, pero la verdad era innegable. El ruido que habían escuchado no era del avión que partía, sino de un avión que llegaba.

—Tienen visita —comentó.

J.J. hizo una mueca.

—Sí, pero ¿por qué se habrán encontrado aquí? Esta isla es más que aburrida. Lo único que hay son mosquitos y plátanos.

—Y privacidad —le dijo Luke—. Estos tipos son delincuentes. Probablemente están metidos en algo ilegal.

Ian señaló hacia un punto donde la selva avanzaba por una rampa de corales. Estaba cubierto de una maleza densa, ideal para esconderse. Además, desde allí se podía ver perfectamente la playa y estaba a unos siete metros sobre el nivel del mar. Sería imposible que los hombres los descubrieran.

Tardaron cinco minutos en descender por la empinada ladera. Luke iba a la cabeza, los otros lo seguían en fila, con las cabezas bajas. Se agazaparon entre los arbustos, mirando de vez en cuando hacia la ensenada.

El segundo avión tenía un solo motor, más pequeño que el primero, pero con un gran espacio para carga.

—¡Miren! —susurró Charla.

Era el pelirrojo. Los ojos de Luke se dirigieron instintivamente a la cintura del hombre, donde tenía la pistola sujeta en el cinturón.

—Ese es el asesino —le dijo en voz baja a Lyssa y a J.J.—. El tipo con el que está hablando debe ser del segundo avión.

Entonces se aproximaron otros cuatro hombres: los compinches del pelirrojo y dos de los recién llegados. Llevaban las cajas que habían bajado del primer avión. El pelirrojo abrió la primera caja y revisó su contenido.

—¿Son frazadas? —preguntó Charla perpleja.

Había algo envuelto en ellas. Era un objeto alargado y de un blanco reluciente, más alto que los hombres. Necesitaron dos hombres para cargarlo, aun así, el que sostenía el extremo más grueso, que medía casi medio metro de ancho, apenas podía con la carga. El objeto era curvo y terminaba en una suave punta.

—Déjame pensar —dijo J.J.—. Es el soporte de golf más grande del mundo.

Ian se quedó con la boca abierta al darse cuenta de lo que veía.

—¡Marfil!

Lyssa lo miró fijamente.

—¿La marca de jabón?

El muchacho más joven negó con la cabeza.

—El otro tipo de marfil. Creo que es un colmillo de elefante. Vi un programa sobre eso una vez. Por eso la gente caza elefantes, por el marfil.

—Pero eso es horrible —protestó Charla.

—Y, además, va contra la ley, ¿no es cierto? —preguntó Luke.

—El asesinato también —le recordó J.J. en tono sombrío.

Observaron mientras los hombres desenvolvían tres colmillos más: uno del mismo tamaño que el primero y otro más pequeño, de algo más de un metro de largo. Después dirigieron su atención a la segunda caja. Era más pequeña, pero más sofisticada, con cierres herméticos, varios botones y diales. Cuando la abrieron, se elevó una nube de vapor que se disipó en la humedad tropical.

—Me lo temía —dijo Ian con seriedad.

En su interior pudieron distinguir muchos frascos.

—¿Qué son? —preguntó Luke.

—Creo que son pedazos de animales —les dijo Ian—, quizás de animales en peligro de extinción... tigres, probablemente.

—¿Pedazos? —preguntó Lyssa con voz débil.

—Pieles, garras —respondió Ian—, carne, órganos, huesos...

—¡Puaj! —fue la opinión de J.J.

Charla estaba a punto de vomitar.

—Pero ¿por qué? ¿Quién quiere esas cosas?

—En muchas ciudades de Asia, algunas partes del tigre se consideran un manjar exquisito para los superricos, o incluso una cura milagrosa. Explicaron todo eso en el documental que vi. Un tigre adulto puede valer casi un cuarto de millón de dólares en las calles de Taipei o Hong Kong.

—¿Quieres decir entonces que esos tipos son contrabandistas? —le preguntó Luke.

Ian asintió.

—Traficantes de marfil y de órganos de animales cuya caza está prohibida. Los hombres del primer avión probablemente los compran de cazadores furtivos de África o Asia. Después se los venden al segundo grupo.

—Pero ¿por qué aquí? —preguntó Lyssa.

—¿No es obvio? —replicó Luke—. Estamos totalmente aislados. La policía no los sorprendería haciendo el intercambio ni en un millón de años.

—Y probablemente para ellos esto esté a mitad del camino —conjeturó Ian—. Es posible que vengan de Japón, Corea, Filipinas, Hong Kong, de cualquier lugar... incluso de Hawai.

—Quizás por eso mataron a aquel tipo —añadió solemnemente Charla—. A lo mejor los estaba estafando.

Observaron consternados mientras los contrabandistas transportaban el resto de la carga. Además de los tres contenedores refrigerados, había una caja llena de lo que parecían ser cuernos de rinoceronte.

—Es posible que no hayan matado ningún animal para obtener esos cuernos —susurró Ian—. Si a un rinoceronte se le corta el cuerno, le vuelve a crecer. En realidad, es como una especie de cabello. Lo muelen y lo venden como medicina.

A esas alturas, Charla estaba temblando de rabia.

—Probablemente mataron a los rinocerontes de todas formas... sólo por divertirse.

Después de comprobar que todo estaba en orden, uno de los recién llegados regresó y subió al avión de un solo motor. Un momento después reapareció, ayudando a un hombre muy obeso con un traje blanco de seda que resplandecía más que el marfil.

—El Gran Pepe —se burló J.J.

—Sí —dijo Ian con seriedad—. Bueno, quizás no se llame así, pero parece que es el que manda.

El sudor bañaba la cara y el cuello del hombre. Se secó con un pañuelo ya empapado de sudor, batallando inútilmente por mantenerse seco. En la otra mano llevaba una pequeña maleta. A su lado iba el perro doberman más grande que Luke había visto en su vida.

—¿Y para qué es esa maleta? —preguntó J.J.—. ¿Se estará mudando?

El Gran Pepe abrió la maleta. A los chicos casi se les salieron los ojos.

—¡Dinero! —exclamó Charla con voz cortada.

La maleta estaba llena de fajos de billetes muy bien ordenados. Era una fortuna.

De repente, el perro olió algo. Comenzó a ladrar, con un tono ronco, ruidoso, que atravesó la selva como un cuchillo caliente en la mantequilla.

—¡Sintió nuestro olor! —dijo Lyssa aterrorizada.

—¡Vámonos! —susurró Luke.

Charla se incorporó de un salto.

—No tienes que decírmelo dos veces.

Luke la agarró por los pantalones cortos y la jaló hacia el suelo.

—¡Despacio! —insistió—. Y camina agachada hasta que estemos entre los árboles.

Los náufragos subieron la ladera a gatas. Aún podían escuchar los ladridos cuando llegaron a la cima y se metieron en la profundidad de la selva. Corrían dominados por el pánico, iban entre las lianas tropezando y cayendo a medida que el follaje se hacía más espeso.

—¡Despacio! —ordenó Luke.

—¿Y si nos persiguen? —preguntó Charla, que iba nueve metros delante del resto.

—Seguramente pensaron que el perro le estaba ladrando a un lagarto o algo por el estilo —dijo Luke—. Despacio, que alguien se puede fracturar una pierna.

—Disculpen —dijo Charla, que estaba casi histérica, deteniéndose a esperar a los demás—. ¡Es horrible! ¡Pobres animales!

—¡Oigan, oigan! —la interrumpió J.J.— No tenemos prueba de que nada de eso sea verdad. Esos colmillos podrían ser de plástico.

—¿Y por qué corriste entonces como los demás? —replicó ella.

—El perro quizás no esté al tanto de la broma —dijo J.J. tímidamente—. Los perros actores que no saben que sólo se trata de una película muerden cada año a miles de actores.

—Ese no era un perro actor. —Ahora Luke estaba realmente enojado—. Y esto no es ninguna película.

—Cada vez que parece que hemos tocado fondo, pasa algo aún peor —coincidió Lyssa desanimada—. Will se vuelve loco o llegan otros contrabandistas o su perro nos descubre por el olor. ¿Podrá haber algo peor?

Su pregunta quedó respondida cuando regresaron, guiados por las marcas de Ian, hasta la balsa inflable. Todos los pertrechos del equipo de supervivencia estaban esparcidos alrededor del bote salvavidas y en la selva vecina. Las provisiones más valiosas estaban abiertas y dispersas por todas partes.

—¡Miren! —dijo Charla señalando el suelo. En medio de múltiples huellas de zapatos, se veían marcas de patas de animal. Ian se agachó para examinarlas.

—Es un jabalí —concluyó.

—¡Oh, no! —dijo Lyssa registrando el equipo de supervivencia—. Sea lo que sea, se llevó los macarrones con queso.

—¡Imposible! —estalló Luke—. Estaban empaquetados al vacío. Olían exactamente igual que el estuche de primeros auxilios. No hay forma de que un cerdo, por inteligente que sea, rebuscara todo y se diera cuenta de que eso era comida.

Sus amigos náufragos lo miraron desalentados. Su última comida, su tabla de salvación, había desaparecido.

—No sé cuál de nosotros es más cerdo —gruñó Will, masticando la pasta sin cocinar.

A su lado estaba el jabalí, que movía su hocico arriba y abajo mientras los dos comían los macarrones con queso directamente del paquete.

—¿Sabes una cosa, Cara de Rata? Saben mejor cuando los cocinas —le comentó Will a su nuevo compañero. Tomó un puñado del polvo naranja y se lo comió después de los macarrones—. El queso debe estar caliente, derretido. Si alguna vez salgo de aquí, volveré y te traeré un poco.

Obviamente, Cara de Rata pensaba que tal como estaban eran deliciosos. Sin parar de tragar, rompió un poco más el paquete plástico con su colmillo.

—¡Oye, respeta mi parte! —le gritó Will—. Después de esto hay que volver a la dieta de plátanos.

CAPÍTULO QUINCE

Día 6, 5.35 p.m.

El robo de su última cena cambió la manera en que los náufragos trataban el problema de la comida. Ya no podían esperar hasta el último momento para ir corriendo a buscar unos cocos y unos plátanos que los protegieran de la desnutrición. Necesitaban proteínas. Necesitaban verduras. Necesitaban comidas más balanceadas.

Los utensilios del equipo de supervivencia fueron una gran ayuda. De pronto tenían cazuelas y sartenes. Podían pescar y cocinar lo que pescaran. Incluso las semillas de los duriones eran sabrosas si se asaban en el fuego.

Dos ramas en forma de "Y" con otra puesta entre ellas les permitieron colgar una cazuela de asa semicircular sobre el fuego. Así pudieron hervir colocasia, una raíz oriunda de la isla que parecía un cruce entre un camote y un enchufe eléctrico de conexiones múltiples.

—¿Sabes? —dijo J.J. con sincera sorpresa—. Esto no está tan mal. Sabe casi a puré de papa.

—Se ablanda mucho al hervir —explicó Ian—, pero hay que cocinarlo muy bien para eliminar una sustancia química venenosa que contiene y que puede ser fatal para los humanos.

J.J. escupió un bocado entero en dirección a la playa.

—Es fantástico —dijo Luke alegremente mientras seguía comiendo—. Lo único en el mundo que sabe mejor que una comida preparada con tus propias manos es la comida preparada por manos ajenas.

La colocasia abundaba en la isla; pero el agua dulce para cocinarla era escasa. Aunque siempre parecía estar lloviendo, nunca llovía durante un largo rato. No importaba cuántos cocos pusieran los náufragos, y ahora ya eran más de cien, nunca recogían más de medio vaso de agua.

Ian trató de montar un alambique, algo que había visto en el *National Geographic Explorer*. Pusieron a hervir agua de mar en una cazuela debajo de una tienda de plástico de tres lados hecha con un poncho para la lluvia. El vapor de agua subió y comenzó a condensarse en los lados de la tienda. Las gotas empezaron correr por el interior de la tienda para luego caer en tres recipientes colocados en el suelo. La sal quedó en la cazuela. Era agua dulce.

—Me parece mucho trabajo para obtener sólo unas gotas de agua —comentó J.J.

—¿Tienes una vida social muy ocupada? —dijo Lyssa riendo.

—La tendría —suspiró el hijo del actor—, en California.

—Por eso te echaron de California —bromeó Luke—. Te estabas divirtiendo demasiado.

J.J. lo miró fijamente, pero tuvo que admitir que Luke no estaba exagerando. Su reputación de niño malcriado de Hollywood era casi tan famosa como la carrera cinematográfica de su padre. Antes los periodistas sensacionalistas llamaban para preguntar por su padre. Ahora querían información sobre las últimas aventuras de J.J. y a él le encantaba el asunto. De pronto frunció el ceño. Eso fue hasta que Jonathan Lane escogió UNR con la esperanza de que enderezaran al chiflado de su hijo.

"¿Cómo pudiste hacerme esto?", le gritaba a su padre todas las noches en sus pesadillas, pero cada mañana se despertaba sabiendo que él había ayudado mucho a su padre a tomar esa decisión.

Podrían no tener vida social, pero los náufragos tenían un montón de cosas que hacer. Dos patrullas diarias, en la mañana y la tarde, salían a recorrer la selva en busca de cualquier rastro de Will o de su campamento. Lyssa siempre era la guía y todos se turnaban para ayudar en la búsqueda.

Ian construyó tres alambiques más, por lo que una persona tenía que encargarse de mantener las fogatas y echar agua de mar en las cazuelas. También tenía que vaciar los recipientes de agua dulce en el barril del bote salvavidas.

Cada expedición de pesca comenzaba con una animada competencia de nones y pares para determinar a quién le tocaba hacer la desagradable tarea de poner carnada en los anzuelos. Era un trabajo que nadie quería hacer porque, como decía Luke, "los gusanos eran más grandes que los peces".

Charla no usaba carnada. Prefería nadar en el mar y atrapar los peces con sus veloces manos.

J.J. se ofrecía como voluntario cada día para ir a pescar, pero pasaba muy poco tiempo con el anzuelo en el agua. Había descubierto pepinos de mar, y estaba fascinado y encantado con sus hábitos y costumbres.

—Imagínate una bolsa de tripas con un agujero en cada extremo —explicaba—. El agua pasa de un lado a otro sin problemas, pero cuando un pobre sapo de estos llega a la playa, se queda lleno de agua. ¡Mira!

Agarró una de esas criaturas, la apuntó como una pistola de agua, y la apretó. Al instante, el pepino de mar lanzó un fino chorro que le dio a Charla en plena cara.

Charla empujó a J.J. hacia las olas y lo hundió bajo el agua. Lyssa lo ayudó a salir.

—Me imagino que a Charla no le interesa la biología marina —dijo solidaria.

Ian estaba a cargo de la recolección de alimentos, porque era el único que sabía qué se podía comer. La buena noticia era que había algo que comer en todas partes, incluso en las paredes de la casa. Cada mañana al despertar, el bote salvavidas estaba cubierto de caracoles gigantes.

—Son un manjar exquisito, ¿lo sabían? —les dijo Ian, recogiendo un puñado—, y una buena fuente de proteínas.

—En tus sueños —respondieron los demás.

Pero después de unos días comiendo cocos y plátanos tres veces al día, casi todos estaban dispuestos a probar cualquier cosa.

Cuando no andaba en la selva buscando a su hermano, Lyssa se pasaba el tiempo tratando de arreglar la radio quemada y descompuesta del bote salvavidas. Era una buena estudiante que sacaba las mejores calificaciones en todo, y le encantaban los aparatos electrónicos.

Iban sobreviviendo, manteniéndose ocupados y superando los obstáculos. De pronto, se sentían deprimidos, inesperadamente, sin aviso. A veces Charla se alisaba el cabello y al sentir su cabellera enredada, incrustada de sal, se echaba a llorar y podía quedarse llorando durante horas. O Ian se quedaba callado de pronto y se pasaba medio día sentado, mirando sin interés el mar, imaginando quién sabe qué cosas. Y cualquier mención que se hacía de Will dejaba a Lyssa sumida en la tristeza.

En el caso de J.J., todo comenzaba de manera muy inocente. Podía estar hablando de una pizzería muy buena que conocía en Los Ángeles, pero unos cuarenta y cinco minutos después, lo hallabas sentado en la arena, con los brazos alrededor de su cuerpo como si tuviera una camisa de fuerza, balbuceando algo sobre queso doble y chorizos.

Charla comía menos, hacía más ejercicios que todos y no permitía que nadie se atreviera a decírselo.

—¿Por qué no sigues nadando? —le sugirió J.J.—. A ese paso vas a llegar a la costa de Oregón en tres años.

—Y te voy a dar un puñetazo en tu fea cara en tres segundos —replicó ella.

—No le hagas caso —susurró Luke.

J.J. se volvió hacia él, con sus ojos azules echando chispas.

—¿Quién se murió y te nombró Dios a ti?

Antes de que Luke pudiera pensarlo, le respondió gritando:

—Fue el capitán, fue él. Y si a ti no se te hubiera ocurrido izar las velas en medio de la tormenta, él seguiría vivo, nosotros estaríamos en el barco y no tendríamos esta conversación.

Luke observó con furiosa satisfacción como palidecía J.J. Era el único tema que no era motivo de broma para él. Las lágrimas comenzaban a salírsele cuando echó a correr. En el borde de la selva, se dio la vuelta y le escupió una sola palabra a Luke:

—¡Delincuente!

Y entonces Luke se lanzó tras él con la intención de pelear, pero tropezó con las lianas y cayó al suelo violentamente, lleno de furia.

—¡No!

¿No era perfecto? Ahora, ¡precisamente ahora! Todo el mundo andaba enloquecido. ¿No se daban cuenta de que debían mantenerse unidos si querían hallar a Will y salir de este peñasco? "¿Por qué no pueden ser como yo? —pensó Luke—. Soy calmado. Estable. Equilibrado. Sensato".

Un repentino dolor en las manos lo hizo mirar

hacia abajo. Sus nudillos estaban magullados y sangraban. Mientras pensaba en todo eso, había tenido un combate de boxeo con el tronco de un árbol.

Sensato y estable. Sí, seguro que sí.

J.J. no apareció hasta muy tarde en la noche. Entró en la tienda y tocó a Luke en el hombro.

—Voy a pescar mañana.

—Está bien —respondió Luke—. Yo me encargo de los alambiques.

Por primera vez, se sintió agradecido porque hubiera tantas cosas que hacer.

Había una tarea final que todos los náufragos realizaban cada día. Al margen de cualquier trabajo que estuvieran haciendo, había siempre cinco pares de oídos tratando de escuchar el ruido de un motor de avión, lo que significaría que los traficantes estaban saliendo de la isla. Hasta que aquellos hombres no se fueran, los náufragos del *Phoenix* no podrían encender señales de fuego ni escribir mensajes en la arena pidiendo ayuda. Nunca serían rescatados si se veían obligados a seguir ocultándose.

—¿Cuándo se van a largar? —preguntó Lyssa desesperada—. Ya tienen los colmillos y los cuernos que querían, ¿qué están esperando?

—Eso es lo que tenemos que averiguar —dijo Luke decidido.

De modo que a la mañana siguiente, Luke y Charla salieron hacia el otro lado de la isla para espiar a sus desagradables vecinos. Dos horas más tarde, regresaron temblando.

—¡Están registrando la selva! —dijo Charla—. Llevan el doberman para descubrir nuestro rastro.

—¿Quieres decir que saben que estamos aquí? —preguntó Lyssa con terror.

—El perro seguramente huele algo cuando pasa por los lugares donde hemos estado —les dijo Luke—, pero ellos no están seguros de qué es lo que buscan.

—La isla no es muy grande —dijo Ian nervioso—. Tarde o temprano, digo, aunque sea por pura casualidad…

No terminó la oración. No era necesario. Los cinco náufragos se quedaron clavados en el suelo cuando se dieron cuenta de la situación.

Los estaban persiguiendo.

CAPÍTULO DIECISÉIS

Día 9, 10.10 a.m.

La llamaban la rutina de los dos minutos.

La señal la daba Charla, desde lo alto de una palmera. Era el graznido de una lechuza, un sonido que jamás se escucharía en una isla tropical. Eso ponía en marcha el proceso de desaparición. Se extinguían las hogueras, se cerraban los alambiques y los enterraban en la arena. Con un gigantesco helecho borraban sus huellas, dejando una playa desierta.

De dos patadas sacaban los soportes del techo de su refugio y el bote salvavidas quedaba plano. Unas manos rápidas lo cubrían con una manta de hojas y lianas y ponían hojas de palmera encima. La balsa negra de goma desaparecía en un instante dejando en su lugar los colores verduscos de la isla. Finalmente, los propios náufragos desaparecían entre la densa hierba de la selva.

Entonces sonó la alarma electrónica de un cronómetro.

—Un minuto cincuenta y siete segundos —anunció Ian—. Nuestro mejor récord hasta el momento.

Hubo entonces una callada celebración y algunas palmadas en las espaldas a medida que las cabezas volvían a salir de entre la maleza. Luke no estaba contento.

—Podemos desaparecer, pero no podemos eliminar nuestro olor. No podemos engañar el olfato del perro.

Ian lo miró pensativamente.

—¿Y si ponemos algunas cabezas y colas de pescado en la playa? Ese olor sería suficientemente fuerte para confundir al perro.

—El mal olor nos hará huir a nosotros —dijo Lyssa con una mueca en la cara.

—Podemos mantenerlas envueltas en uno de los ponchos —decidió Luke—. Las sacaremos cuando oigamos la señal.

Acordaron que enviarían equipos de reconocimiento de dos personas para vigilar a los traficantes. Lyssa no estaba de acuerdo. Eso los distraería de la búsqueda de Will, pero los otros decidieron hacerlo. No habían visto a Will en cinco días y no tenían idea de dónde podía estar. Por lo que sabían, Will podría estar al otro lado de la isla, donde estaban los hidroaviones. Era tan probable encontrarlo allí como en cualquier otra parte.

—Esa es otra razón para vigilar a esos tipos

—dijo Luke—, para asegurarnos que no han encontrado a Will.

Ian y Luke estaban en una misión de reconocimiento cuando vieron el doberman. Inmediatamente retrocedieron, escondiéndose detrás de un denso matorral de helechos. El pelirrojo llevaba al perro sujeto de la correa y había otros dos hombres con él. Los tres iban armados.

—Tenías razón —susurró Ian—. Andan buscando algo.

Siguieron por un rato, asegurándose de que no hubiera ningún movimiento en dirección al campamento de los náufragos. Cuando el perro comenzaba a correr en círculos, ladrando muy excitado, sabían que debían retroceder.

Ian frunció el ceño.

—Aquí hay tres de ellos. ¿Cuántos hay en los aviones?

Luke se encogió de hombros.

—Hay sólo una manera de averiguarlo.

Comenzaron el regreso. Bajaron por la ladera caminado en cuclillas hasta el punto de vigilancia desde donde se veía la ensenada. Los dos muchachos contaron, anunciando el resultado a un tiempo: tres. Dos hombres en la playa y el Gran Pepe sentado en la orilla del avión más pequeño. No le veían la cara, pero sus piernas gruesas y el traje blanco lo identificaban.

En todo este tiempo, ninguno de los traficantes se había cambiado de ropa, lo que significaba que...

—No habían planeado quedarse aquí —susurró Luke—. Están esperando hasta asegurarse de que no haya nadie en la isla.

Ian estaba confundido.

—¿Dónde duermen? No se ve ningún campamento. Y todos no caben en los aviones... al menos no acostados.

Era una buena pregunta. Observaron cada rincón de la ensenada. Estaba la laguna, el rocoso malecón, la playa angosta, la rampa de corales que llegaba hasta la selva, pero no había ningún campamento.

—Algo se nos escapa —murmuró Luke.

Y entonces vio las huellas en la arena. Casi todas iban en la misma dirección. Terminaban al final de la playa, por supuesto, pero Luke se imaginó que el camino subía por la ladera hasta la selva. El punto de entrada estaba quizás a cuatrocientos metros de donde estaba escondido con Ian.

Allí debía haber algo, algo muy importante para aquellos hombres.

Con cuidado y en silencio, buscaron su camino alrededor de la ensenada. La selva se volvió tan densa que parecía que vadeaban un río y no que caminaban en la selva. Llegó un momento en que casi no pudieron avanzar. Por eso Luke no se lastimó cuando chocó directamente contra él.

—¿Un muro? —dijo Ian sin aliento.

A tres pasos de distancia no se veía, oculto entre la maraña de la selva tropical, pero ahí estaba, con el enchapado de metal corrugado de una estructura semicircular estilo Quonset. Y una bien grande.

Ian y Luke se miraron mudos de asombro. En su isla —aislada, desierta y sin rastro de civilización—, había una construcción. Era inimaginable.

Luke se puso un dedo sobre los labios. Después los dos avanzaron a gatas hasta el extremo de la estructura. Con mucha cautela, le dieron vuelta a la esquina y se encontraron frente a la parte delantera, que era de metal gris, con una puerta y dos ventanas. Un herrumbroso letrero, desteñido y apenas legible, decía: UNITED STATES ARMY AIR CORPS.

—¿Una base de la Fuerza Aérea? —dijo Luke—. ¿En medio de la selva?

Ian señaló el letrero.

—*Army Air Corps*. Hace cincuenta años que no se usa ese nombre. En esa época esta área debe haber estado libre de maleza, y después la selva volvió a cubrirla.

Luke se acercó a la ventana desvencijada y miró por una de las grietas. La selva estaba invadiendo el interior también, explotando entre las grietas del cemento del piso. No había nadie adentro.

—Vamos a echar un vistazo —susurró.

Abrieron la puerta y entraron. Alguien había engrasado las bisagras recientemente. Había escritorios, pizarrones, archivos. Se veían papeles amarillentos y carpetas por todas partes.

—¡Mira! —exclamó Luke.

Sobre los viejos bancos había varios sacos de dormir desplegados. Sobre dos escritorios, colocados uno junto al otro, vieron varias botellas de cerveza, latas de comida vacías y un montón de colillas de cigarrillos. El lugar olía a humo estancado.

Era el campamento de los contrabandistas, por supuesto. Este... ¿qué era esto? Por supuesto que algo militar. Viejo y abandonado, claro, pero, ¿sería una base? Parecía más bien una oficina.

Ian le tocó el brazo a Luke y le señaló un

tablero de anuncios suspendido en una de las paredes curvas. Sujeto con tachuelas estaba el diagrama borroso de una cabaña exactamente igual a la cabaña en la que estaban. Detrás de ella había otras dos cabañas mucho más pequeñas. Parecía que esas tres construcciones constituían toda la instalación.

—¿Tenían bases tan pequeñas? —preguntó Luke.

El muchacho más joven se encogió de hombros y le señaló a Luke otra cosa que había en el tablero: un mapa del Pacífico. Por todo el mapa se veían diminutos alfileres que representaban barcos y aviones. Algunos alfileres se habían caído y estaban en el suelo frente al tablero.

—La Segunda Guerra Mundial —explicó.

Había un par de oficinas privadas y, más atrás, una barraca con varias hileras de literas. Luke se preguntó por qué los contrabandistas dormían en los duros bancos teniendo camas de verdad allí mismo. Entonces se acercó y vio los colchones. Estaban hechos hilachas y repletos de insectos. Hizo una mueca y regresó al lugar donde Ian estaba revisando las carpetas.

—¿Has encontrado algo?

Ian negó con la cabeza.

—Pedidos de papel sanitario y crema de afeitar. Les hacía falta una pieza para el proyector de películas, eso fue en 1945... —Agarró un sobre identificado como SECRETO que alguna vez estuvo cerrado con un sello de aspecto imponente. Adentro había varias hojas engrapadas. La primera línea le llamó la atención: Asunto: *Despliegue de Junior*. Los ojos se le salieron de las órbitas—. ¡Junior!

—¿Junior? —repitió Luke—. ¿Quién es Junior?

Lo que oyeron a continuación les quitó cualquier otro pensamiento de la mente: el ladrido de un perro.

Corrieron a la puerta. Oyeron voces malhumoradas afuera. Los hombres habían llegado. Luke agarró a Ian y le hizo dar la vuelta.

El terror era evidente en los ojos del muchacho más joven. Gesticuló sin emitir sonido, "¿Habrá una puerta trasera?".

Mientras corrían al fondo de la cabaña, Luke supo que la respuesta a aquella pregunta era una sentencia de vida o muerte.

Sin aliento, llegó hasta la pared del fondo. No había ninguna puerta, sólo dos ventanas. Trancada y con los marcos descuadrados, la primera no se movió ni un centímetro.

Los traficantes llegaron a la puerta del frente con el perro, que seguía ladrando.

—¡Cállate, perro! —dijo una voz enojada.

La segunda ventana se movió sólo unos dos

centímetros antes de chocar contra la tupida maleza.

Ian comenzó a temblar.

Entonces Luke miró hacia abajo. La pared metálica del edificio estaba separada del ruinoso piso de cemento dejando una abertura de unos veinte centímetros. Era su única oportunidad de escapar. Desesperadamente, empujó a Ian por la abertura y lo siguió. Los dos se deslizaron por el hoyo y salieron a gatas a la selva. No podían correr. El follaje era demasiado tupido, pero aunque iban lentamente, era igual que cualquier otra fuga, con movimientos desesperados, impulsados por el pánico. Cuando la maleza se hizo menos densa, salieron a toda carrera, tropezando y cayendo y volviendo a incorporarse para seguir corriendo.

Ya habían recorrido la mitad del camino a su campamento cuando Luke logró ponerle a Ian una mano en el hombro para frenarlo.

—¡Ian! —dijo sin aliento—. ¿Qué era eso? ¿Quién es Junior?

Sujetando aún en su mano el sobre y los papeles secretos, Ian trató de recuperar el aliento.

—Una bomba —logró decir finalmente—. Una bomba atómica.

CAPÍTULO DIECISIETE

Día 9, 3.40 p.m.

Luke lo miró fijamente.

—¿Una bomba atómica?

Ian asintió vehementemente.

—Lo explicaron todo en un documental sobre el Proyecto Manhattan relativo a la invención de la primera bomba atómica durante la Segunda Guerra Mundial. Debían construir tres bombas que tenían nombres en clave: El Gordo, El Chico y Junior. Pero la guerra terminó cuando lanzaron El Gordo y El Chico. Por eso Junior no llegó a ser construida —concluyó agitando los papeles ante la cara de Luke—. Esa instalación la iban a usar para lanzar a Junior, la tercera bomba atómica.

Luke lo miró dudoso.

—¿Y la Fuerza Aérea simplemente se olvidó de este lugar?

—No era una verdadera base —explicó Ian—. Había literas sólo para veinte o treinta personas. Lo único que necesitaban era un par de aviones y un lugar para aterrizar.

—¡El cemento! —exclamó Luke—. Esa era la pista, ¿verdad? Sólo que ha sido destruida y cubierta por la selva en estos cincuenta años, ¿no es así?

—Probablemente —coincidió Ian, que parecía asustado—. ¿No crees que se van a dar cuenta de que falta este sobre? Quiero decir, los contrabandistas. Eso les indicaría que estamos en la isla.

—A ellos no les interesan los papeles —le aseguró Luke—. A no ser que sea dinero impreso, pero la verdad es que nos salvamos de puro milagro, ¿no te parece?

—Todavía estoy temblando —reconoció Ian.

Poco después divisaron a Charla en su puesto de observación en el árbol.

—¿Por qué se demoraron tanto?

—Ni preguntes —gruñó Luke.

Hicieron una reunión en la playa, con plátanos y agua de coco como cena.

—¿Saben? Es una fascinante lección de historia —dijo J.J. bostezando—, pero a quién le interesa lo que sucedió en la guerra hace no sé cuántos años. Si descubres un teléfono celular que funcione, entonces prestaré atención.

—Por desgracia —dijo Luke seriamente—, esa guerra tan remota nos afecta más de lo que crees. Cuéntales, Ian.

—He estado revisando esos papeles —explicó Ian con tono trágico—. Hasta donde puedo decir, esa instalación era tan secreta que escogieron para construirla una isla que nunca había aparecido en ningún mapa. De modo que no creo que alguien venga a rescatarnos porque, técnicamente, no estamos en ninguna parte.

Luke casi pudo escuchar cómo desparecía la última gota de esperanza que tenían los náufragos.

Hubo un silencio sepulcral, roto solamente por el golpeteo de las olas.

El estómago de Will estaba vacío y dolorido.

Habían sido los macarrones con queso, pensó tristemente. Hasta ese día, no se había dado cuenta de lo hambriento que realmente estaba, pero los macarrones con queso... aquellos bellos, deliciosos, terribles macarrones con queso. Por unas horas fue una felicidad, pero después lo pagó muy caro.

La comida sólo había servido para despertar al monstruo del hambre. Eso le parecía a él: una criatura viva, suelta dentro de él e imposible de controlar. Comenzó como un rumor en su estómago hasta convertirse en un rugido que borraba cualquier otra cosa a su alrededor. Trató de atiborrarse de plátanos, montones de plátanos, pero llegó el momento en que se sintió enfermo.

Sin embargo, el hambre seguía rugiendo. No, ahora era mucho más que hambre. Era desesperación.

Un terror paralizante le subió desde los dedos de los pies cuando se dio cuenta de lo indefenso que estaba. Cada hora que pasaba se sentía más débil. Muy pronto sería incapaz de actuar, de rescatar a Lyssa o de salvarse a sí mismo. Solo en la selva, no había más que un destino para él, una sola manera en que aquello podía terminar.

Iba a morir.

"Pero no estoy completamente solo...".

Su mirada febril cayó sobre el jabalí, que estaba acurrucado y roncando entre las dos palmeras.

"Cara de Rata es comida. Cara de Rata...".

Agarró su arco, puso una flecha y lo tensó.

Pero...

"Acércate. Así morirás más rápido".

Se detuvo de pronto. ¿Cómo podía pensar en matar a Cara de Rata? El jabalí había sido su único amigo durante los últimos días... quizás los últimos de toda su vida.

Algo de comer. Eso era lo único importante. No se trataba ahora de amistad. Era un problema de supervivencia.

Volvió a tensar el arco.

"Más duro", se exhortó a sí mismo. Si la primera flecha le da en el cerebro, no sufrirá.

Los ojos se le llenaron de lágrimas.

—Lo siento, Cara de Rata —susurró.

Tan pronto como el nombre pasó entre sus labios, se formó en su mente la imagen de un fornido marinero de aspecto hosco, parado en la cubierta de un barco. La imagen era tan vívida que Will pudo identificar la palabra que estaba pintada en el chaleco salvavidas del hombre: *PHOENIX*.

Sorprendido, soltó la cuerda del arco, la flecha saltó de la cuerda y la punta trasera le golpeó un ojo.

—¡Ay!

Se quedó pasmado un instante, pero casi no notaba el dolor por lo concentrado que estaba en los pensamientos que le pasaban por la mente. Todo regresó de pronto, con la fuerza de un tren a toda marcha: los otros muchachos, la tormenta, la explosión, el naufragio. Y aquellos días terribles a la deriva en la balsa, sedientos y muriendo de hambre, sin saber si su hermana, Lyssa, estaba viva o muerta.

Sintió una inmensa ola de alegría en su pecho. Lyssa había sobrevivido... la había visto y había hablado con ella. Porque eso había sido real, ¿no es cierto? Y los otros también. Por algún milagro, todos habían sobrevivido el hundimiento del *Phoenix* y habían llegado al mismo lugar, cualquiera que fuera este.

¡Los otros! Se había escondido de ellos, llamándolos mentirosos y secuestradores, robando su comida y asaltando su campamento cuando el único propósito que tenían había sido tratar de ayudarlo.

"Deben pensar que me he vuelto loco".

Pensó en el asunto. Tenían razón. Estaba loco, o al menos lo había estado.

—Ven acá, Cara de Rata —exclamó emocionado. El jabalí despertó y lo miró con ojos interrogadores—. ¡Vamos! —dijo y salió corriendo por la selva, con Cara de Rata trotando detrás de él.

CAPÍTULO DIECIOCHO

Día 9, 4.05 p.m.

El mal olor era un problema para los habitantes de la isla. Con el calor y la humedad que había, sólo realizar las tareas imprescindibles para la supervivencia mantenía a los cinco náufragos bañados en sudor. Siempre había alguien con sarpullido, mal olor en los pies o con algún hongo tropical. Si no fuera por el fácil acceso al mar cercano, el hedor de todo el grupo hubiera sido insoportable.

Era más difícil detectar el olor en uno mismo. A veces Luke se atrevía a olerse cuando estaba solo. ¡Uf! El lodo que se le había pegado al cuerpo cuando se arrastraba por la selva con Ian y el sudor de su desesperada carrera de huida se habían mezclado con la humedad habitual de la selva para crear un poderoso hedor.

Bañarse era siempre un asunto complicado. Como las muchachas estaban con ellos, Luke trataba de tener un poco de privacidad, pero tampoco quería ser como Ian. El muchacho era tan tímido que se iba muy lejos para darse un simple baño y a veces tardaba el día entero.

Caminó por la playa, pasó junto al abrelatas y llegó hasta donde terminaba la arena y comenzaban los corales. Se quitó los zapatos y se zambulló en las olas que rompían en la orilla, dejando que su ropa se lavara en su cuerpo. No era un nadador experto como Charla, pero le gustaba el mar. Era lo único bueno de haber naufragado, pensó. Ninguna de las playas de su área tenía esas aguas perfectas, cristalinas, sin la menor traza de la suciedad de la contaminación.

Se quitó la camisa y la agitó en el agua como si fuera una lavadora. Después la exprimió y la puso a secar sobre las rocas. También se quitó los pantalones cortos y la ropa interior e hizo lo mismo. Luego nadó un largo trecho. El agua estaba fresca y sintió que la tensión del cuello y los hombros desaparecía. Aunque en ese lugar el agua era bastante profunda, podía ver claramente las plantas, las rocas y las estrellas de mar en el fondo, tres metros más abajo.

Paz. Sólo la había encontrado en el océano. Allí podía dejar de pensar por un rato en los terribles peligros que los acechaban. No se olvidó de sus problemas, pero de algún modo podía separarse de ellos. A veces incluso podía recordar al Luke Haggerty de antes, al que había sido antes de la avalancha de problemas que había comenzado con una simple inspección de casilleros.

Aquí podía abandonarse al ritmo de las olas, al paso de las gaviotas, al rumor del viento en las palmeras, al graznido de una lechuza...

¿Una lechuza?

¡La señal!

Luke seguramente nadó, pero no recordaba haberlo hecho. Cuando se dio cuenta, estaba corriendo sobre los corales, lastimándose los pies, las pantorrillas y las rodillas mientras se ponía los pantalones cortos. Entonces comenzó a correr por la playa. Vio a los otros náufragos haciendo la rutina de los dos minutos. El viento retumbaba en sus oídos mientras corría... el viento y un sonido diferente y terrible: los ladridos cada vez más cercanos de un perro de caza.

Llegó al campamento al mismo tiempo que Charla.

—Dos hombres —le dijo ella mientras cubría con arena uno de los alambiques ya desarmados—. Y el doberman.

Luke se sintió orgulloso del grupo. El pánico era evidente en sus ojos, pero sus cuerpos eran eficiencia pura. Los alambiques desaparecieron bajo la arena. Barrieron las huellas. Entonces se metieron en la selva, desinflaron el bote salvavidas y lo taparon con la manta de hojas de palmera.

Para entonces ya podían oír las voces de los hombres mezcladas con los ladridos del perro. Los náufragos desaparecieron en la maleza.

—¿Qué le pasa a ese perro? ¡Está como loco!

Estaban a menos de treinta metros.

Acurrucada junto a Luke, Charla se quedó paralizada de terror.

—¡Los pescados! —dijo—. Nos olvidamos de abrir la bolsa de los pescados podridos. ¡El perro puede olernos!

"Demasiado tarde", pensó Luke. Lo que oyó a continuación le heló la sangre.

—Parece que huele algo —dijo el otro hombre—. ¡Suéltalo!

Un segundo más tarde, Luke vio al doberman negro y marrón buscando entre la maleza, con los colmillos al aire. Estaba a quince metros, después a nueve. Oyó jadear a Charla a su lado. La cabeza le daba vueltas. ¿Qué podían hacer? No se le ocurría nada. Por primera vez, los náufragos se habían quedado verdaderamente sin opciones. Su aventura iba a terminar, aquí y ahora.

En ese momento, un misil salió disparado de

entre la maleza y calló sobre el perro con toda su fuerza.

Sucedió tan rápido que, por un segundo, Luke no pudo darse cuenta de lo que estaba sucediendo. Sólo sabía que en lugar de ser despedazado por un animal feroz, aún estaba escondido, observando una lucha monstruosa.

Entonces oyó el chillido.

—¡El jabalí! —susurró.

La pelea era brutal... y a muerte. La cabeza del jabalí subía y bajaba como una excavadora atacando al perro con sus colmillos. El doberman arremetía y gruñía, mordiendo la garganta de su enemigo con sus afilados colmillos. El jabalí era más grande y mucho más pesado, pero el doberman era más rápido y ágil, y saltaba continuamente tratando de desgarrar el grueso cuello. La cabeza del jabalí avanzaba y retrocedía golpeando la panza del perro.

Las gotas de sangre comenzaron a salpicar el terreno, pero era imposible saber de qué animal eran.

Se oyó un rugido terrible. Y de pronto, el perro estaba debajo y el jabalí controlaba el combate.

En ese momento, los dos hombres llegaron corriendo entre la maleza. El pelirrojo venía delante.

—¿Qué demo...?

Sacó su pistola y le disparó al jabalí en el cuello.

Con un chillido mitad de dolor, mitad de sorpresa, el jabalí retrocedió y levantó la cabeza inmensa y manchada de sangre.

El otro hombre sacó su arma también y los dos dispararon a un tiempo. Parecía una escena de una película de gángsters: disparo tras disparo, una lluvia de balas. Luke trató de hundirse en la tierra blanda.

El jabalí dio un paso hacia adelante, amenazante, y después pareció convertirse en una masa sin huesos, cayendo como un saco entre la maleza, muerto.

Los dos hombres corrieron hasta donde estaba el cuerpo sin vida del perro.

—¡No lo puedo creer! —dijo el pelirrojo furioso—. El gordo mantecoso se va a echar a llorar cuando se entere.

—Y todo por nada —coincidió su compañero molesto—. Era ese cerdo asqueroso lo que estuvo oliendo todo este tiempo.

—Eso es una buena noticia —comentó el pelirrojo—. Al menos ahora podremos abandonar este criadero de mosquitos —dijo emprendiendo el camino de regreso a través de la selva.

Entonces se detuvo y pateó al jabalí muerto—. ¡Cerdo estúpido!

A Luke la cabeza le daba vueltas, pero hizo un esfuerzo por permanecer inmóvil. Todo estaría perdido si uno de ellos salía del escondite antes de que los traficantes estuvieran suficientemente lejos. Sólo habían pasado diez minutos que les parecieron ciento cincuenta años. Se oyó el roce de un cuerpo en la maleza. Lyssa salió de su escondite y se detuvo junto al cuerpo del jabalí.

—Nos salvó la vida.

Uno a uno, los náufragos salieron de entre la maleza.

—¿Y por qué peleó por nosotros? —preguntó Charla.

—Tal vez no le gustan los perros doberman —sugirió Luke—. Yo no sé.

J.J. miró los ojos abiertos y ciegos del jabalí.

—Después de esto, te perdonamos lo de los macarrones con queso, ¿está bien?

Charla le dio un golpe en el hombro.

—Bueno, es sólo un cerdo —se defendió él.

En ese momento, escucharon un gemido.

Se quedaron paralizados. Luke se puso un dedo sobre los labios.

Lo oyeron otra vez. Un leve suspiro. Apenas un aliento.

Era sin duda humano.

Miraron a su alrededor. ¿De dónde vendría? Los dos hombres se habían ido. Todos los náufragos estaban allí.

Y entonces Ian tropezó con algo.

—¡Luke!

Allí, bajo un helecho, yacía Will Greenfield, pálido e inmóvil. Ian le palpó el pulso. Era fuerte y estable.

—¡Oh, Dios mío! —exclamó Lyssa inclinándose junto a su hermano. El raído borde del pantalón corto de Will estaba empapado en sangre. Lyssa levantó un poco la tela. Tenía una herida de bala encima del muslo.

—¡Oh, Will! —dijo con voz temblorosa—. ¿Por qué siempre tienes que ser tú?

Sus ojos se abrieron pestañando.

—No me grites —dijo débilmente—. No lo hice adrede —agregó mientras saludaba con la mano—. Hola, Luke, Ian, Charla. J.J., cuánto tiempo sin verlos.

—¿Nos reconoces? —le exclamó Charla.

Will habló tímidamente.

—Ahora sí. ¿Ustedes vieron a Cara de Rata?

—¿Cara de Rata? —repitió Luke incrédulo.

—No, no ese Cara de Rata —le explicó Will—. Tengo un jabalí de mascota.

Lyssa le puso una mano sobre el brazo.

—No, no lo tienes —le dijo dulcemente—. Ya

no lo tienes, pero se comportó como un héroe, Will. Puedes estar orgulloso de él.

—¡Oh! —Will parecía muy triste. De repente, hizo una mueca de dolor y se agarró la pierna herida—. Me duele mucho —gimió—. ¿Es muy grave?

Instintivamente, todos se volvieron a Ian. El muchacho retrocedió.

—¿Cómo podría saberlo yo? —dijo—. Pero no hay una herida que indique la salida de la bala. La bala debe estar aún dentro. Necesita un médico.

—No hacen visitas en la selva —le recordó J.J.—. Voy a buscar el botiquín de primeros auxilios.

—Aguanta un poco —dijo Lyssa para animar a su hermano—. Todo va a salir bien.

Lyssa daba gracias de que él no se diera cuenta de lo poco que confiaba en sus propias palabras.

CAPÍTULO DIECINUEVE

Día 10, 11.35 p.m.

Los alambiques estaban funcionando de nuevo, con sus pequeñas hogueras encendidas, no en la playa, sino en la entrada de la selva. Junto a ellos estaba acostado Will, sobre el pequeño pedazo del techo de la cabina que los había salvado milagrosamente del incendio y el hundimiento del barco y los había llevado hasta la isla.

—¡Oye, Lyss! Nunca te di las gracias por provocar la explosión del barco.

—Tú eras el que tenía que ventilar la sala de máquinas —respondió su hermana—. Cállate y descansa.

Era una discusión sin sentido, pero de alguna manera, los reconfortaba el hecho de estar peleando otra vez.

Lyssa revisó la venda de la pierna herida sin tener la menor idea de qué estaba buscando.

—¡Ajá! —dijo con la esperanza de sonar convincente.

Fue donde Ian, que estaba sacando las duras semillas de un durión y guardándolas para asarlas.

—El océano se tiene que quedar sin peces para que yo me coma esas cosas —comentó ella con amargura.

Ian parecía muy serio.

—Tenemos que sacar a tu hermano de esta isla.

—Lo que pasa es que Will se queja de todo —le dijo ella—. Eso me dice que está mejorando. Ya no está sangrando.

El muchacho movió la cabeza pensativo.

—Le va a dar una infección con esa bala adentro. No es nada de importancia si recibes atención médica, pero nuestros suministros de primeros auxilios se van a acabar pronto.

Lyssa pestañeó.

—¿Se puede morir?

Ian se encogió de hombros resignado.

—No mañana, ni la semana que viene, pero si no podemos llevarlo a un hospital...

—Lyss —la llamó Will desde la balsa—, ¿podrías darme un poco de agua?

—Tú tienes dos piernas —replicó ella automáticamente.

Era tan inmediato, tan instintivo en ella atacarlo... era el resultado de doce años de guerra fraternal. Prácticamente cada detalle de su vida contrastaba con la de su hermano. Will no era buen estudiante, ella se mataba por obtener las mejores calificaciones en todo. Will era cauteloso, ella trataba de ser impulsiva.

¿Qué haría sin él? De un extraño modo, eran un equipo. A los dos les habían puesto nombres de flores: a Will por el clavel del poeta, que en inglés se llama Sweet William, y a Lyssa por la lobularia marítima, que en inglés se llama *Sweet Alyssum*. Una ridiculez de sus padres, opinaba Lyssa, pero ahora parecía un gesto más sabio y revelador de lo que jamás hubiera imaginado.

¿Qué sería de ella sin Will, si no pudiera pelear ni competir con él? ¿Desaparecería ella simplemente?

—Digo, bueno... —no iba a echarse a llorar. De ninguna manera. Y menos delante de Will—. Quiero decir que ya te la traigo —dijo corriendo hacia el barril del agua—. Cualquier cosa que quieras, no tienes más que pedírmela.

El avión bimotor se fue primero con el pelirrojo y sus dos compinches. El Gran Pepe se fue en el segundo avión. A esas alturas, su traje blanco era un amasijo de arrugas y sudor grasiento. Si estaba muy deprimido por la muerte de su doberman, no se le veía en la cara.

Luke, J.J. y Charla observaban desde su lugar habitual de vigilancia cuando el avión de un solo motor ascendió desde el agua con su carga ilegal de colmillos y órganos de animales rumbo quién sabe adónde.

—¿Crees que regresen? —preguntó Charla.

—Cuenta con ello —le dijo Luke—. Este es el sitio perfecto para un intercambio como el de ellos. ¿Por qué crees que tenían que asegurarse de que no hubiera nadie más en la isla?

Después de tantos días escondiéndose, les parecía poco natural poder correr por los arrecifes de corales hasta la playa sin miedo a los contrabandistas. Luke se quitó un zapato y metió los dedos en el agua tibia de la ensenada. Era difícil creer que había pasado sólo una semana desde que presenciaron cómo el pelirrojo ejecutaba a uno de sus hombres en aquel mismo lugar.

J.J. lanzó una piedra plana horizontalmente para verla saltar sobre el agua.

—Bueno, ahora somos los dueños de este lugar. Podemos hacer fiestas de lo más ruidosas. Es una lástima que no haya nadie a quien invitar, excepto las serpientes.

—Nos pueden rescatar —le dijo Charla con énfasis—. Esta es nuestra gran oportunidad antes de que regresen los contrabandistas. Si la perdemos... —su voz se quebró.

Una vez más, Luke se guió por las huellas en la arena para hallar la instalación militar oculta en la maleza. Aunque había estado allí antes, la selva era tan densa que la cabaña Quonset se mantuvo prácticamente invisible hasta que los náufragos estuvieron delante de ella. J.J. entró y miró alrededor con disgusto.

—¡Qué pocilga! —dijo con desprecio—. Oye, recuérdame siempre que no debo alistarme en el ejército.

Charla miraba todo con ojos inmensos.

—Es difícil creer que hicieron todo esto para matar gente.

—Estaban en medio de una guerra —le recordó Luke.

—Sí, pero una bomba... que destruya una ciudad entera —negó con la cabeza tristemente—. Es horrible lo que hemos aprendido a hacer.

Luke observó que los sacos de dormir ya no estaban en los bancos. Sobre uno de ellos había un periódico doblado. Lo abrió. Era el *USA Today* del 25 de julio, el día en que el primer grupo de traficantes había llegado a la isla.

Luke se quedó con la boca abierta.

—Miren esto...

En la parte superior de la primera plana estaba el señor Radford, el segundo de a bordo del *Phoenix*. En la foto se veía cómo los marineros de un carguero chino lo sacaban del desvencijado bote salvavidas. Con los otros a su alrededor, Luke comenzó a leer:

EL HEROICO SEGUNDO DE A BORDO LUCHÓ EN VANO POR SALVAR A LOS NIÑOS DEL BARCO ANTES DE HUNDIRSE

J.J. Lane, el hijo del actor Jonathan Lane, es uno de los seis jóvenes perdidos en el mar que se cree que murieron cuando se hundió el Phoenix, el barco insignia de Un Nuevo Rumbo, el conocido programa de navegación para jóvenes con problemas de conducta. James Cascadden, de 61 años, capitán de la goleta de veinte metros, también pereció en el accidente, que ocurrió en condiciones parecidas a las de un tifón a ocho mil kilómetros al noreste de Guam.

Según Calvin Radford, de 37 años y único superviviente, la tragedia comenzó cuando Lane, de 14 años, inexplicablemente trató de izar las velas en medio de la tormenta. En ese momento, las ráfagas de viento de hasta setenta nudos y las olas de doce metros "hicieron astillas el barco", según Radford.

"Era un muchacho muy alocado... quizás Hollywood tiene ese efecto en los niños, pero no merecía morir así", dijo Radford dominado por la emoción. "Ninguno de ellos se lo merecía".

Luke Haggerty, de 13 años, residente de Haverhill, Massachussets; Charla Swann, de 12 años, residente de Detroit, Michigan; Ian Sikorsky, de 11 años, residente de Lake Forest, Illinois; y Will Greenfield, de 13 años, y su hermana Lyssa, de 12, residentes de Huntington, Nueva York, son las otras víctimas.

Radford, segundo de a bordo del *Phoenix*, luchó desesperadamente por salvar a los seis jóvenes después de que Cascadden fuera lanzado sobre la borda por "una ola terrible". Sólo después del hundimiento del *Phoenix*, pudo Radford subir al bote salvavidas de cuatro metros, en el que navegó ocho días y más de tres mil kilómetros antes de ser rescatado por el *Wu Liang*, un carguero procedente de Shangai en ruta hacia Honolulu.

Cuando alguien lo llamó "héroe", Radford se echó a llorar. "Esos muchachos eran responsabilidad mía. Tenía que haber hallado una manera de salvarlos".

La Comisión Marítima ha recomendado su nombre para que le otorguen el más alto reconocimiento al valor.

No fue posible ponerse en contacto con Jonathan Lane para conocer su reacción frente a la catástrofe, pero según su portavoz, Dan Rapaport...

* * *

Luke dejó el periódico sobre el banco, temblando de rabia.

—No puedo creerlo —dijo furioso—. Cara de Rata... ¡un héroe! Después de lo que nos hizo...

—El Cara de Rata de Will tenía más heroísmo en su dedo meñique —dijo Charla emocionada—. Bueno, si los jabalíes tuvieran dedos.

J.J. negó con la cabeza en un gesto de incredulidad.

—Mi padre dio su opinión a través de su portavoz —dijo riendo—. ¡Su portavoz! Es tan característico de él que por poco lo creo.

Charla le clavó la mirada.

—¿De qué estás hablando?

—Si los de UNR pudieron hundir nuestro barco y dejarnos abandonados en una isla —explicó el hijo del actor—, por supuesto que no es nada del otro mundo que hayan impreso una edición falsa de *USA Today*.

Luke agitó el periódico ante su cara.

—Entrevistaron a mi madre sobre mi muerte —le dijo lívido de ira—. ¿No es eso suficientemente real para ti?

—Ella está al tanto de todo —le explicó J.J.—. Todos nuestros padres lo están. Ellos fueron los que nos enviaron a este Campamento para Condenados.

Charla estaba furiosa.

—No puedo creer que sigas hablando de eso. El pobre Will recibió una bala en el muslo. ¿Tú crees que eso también es parte del plan de UNR?

—Eso debe haber sido un error —dijo J.J. muy serio—. Y podría ser nuestro pasaje de regreso. Tarde o temprano tendrán que suspender todo el experimento y llevar a Will al médico. Sólo tenemos que aguantar un poco más.

—Por supuesto que vamos a aguantar mucho más —prometió Luke—, pero eso no tiene nada que ver con tus teorías absurdas. Vamos a aguantar para poder sobrevivir y contarle al mundo lo que nos hizo Cara de Rata y verlo pudrirse en la cárcel por haberlo hecho.

Ian les había pedido que trajeran al campamento cualquier suministro médico que encontraran, con la esperanza de que hubiera algo que pudiera ayudar a Will. En el edificio principal no encontraron nada, pero una de las cabañas más pequeñas resultó ser un dispensario. Cargados de frascos, vendas y compresas estériles en paquetes amarillentos, los tres náufragos emprendieron el camino de regreso a su campamento, al otro lado de la isla.

Llevaban apenas cinco minutos caminando, cuando J.J. desapareció de repente. Iba a la cabeza del grupo, y un instante después había desaparecido.

—¿J.J.? —lo llamó Charla intrigada.

—Estoy aquí abajo —respondió una voz misteriosamente lejana.

—Basta de bromas —le dijo Luke cortante—. Tenemos que llevarle estas cosas a Will.

—No, en serio.

Una mano salió de la tupida maleza. Todos miraron. J.J. estaba parado en el fondo de una fosa cuadrada, hundido hasta las rodillas en lodo y hojas podridas. Había frascos y paquetes de gasas por todas partes.

—¿Para qué es eso? —preguntó Charla—. ¿Es una trampa o algo así?

—Por lo menos me atrapó a mí —dijo J.J. con indiferencia, frotándose la cabeza—. Creo que me he fracturado el cráneo.

Luke estaba perdiendo la paciencia.

—Si los frascos no se rompieron con la caída, estoy seguro que tu cabezota dura está perfectamente bien.

—Hay algo duro aquí abajo —insistió J.J. comenzando a patear el lodo de la fosa. Se oyó entonces un ruido sordo—. ¡Uf!

Luke hizo una mueca.

—Suena a metal —dijo y bajó a la fosa. Después ayudó a Charla a bajar.

J.J. ya estaba cavando entre la tierra y las hojas del montículo que había en el centro de la fosa. Un poco más abajo, golpearon algo metálico y negro que tenía una superficie lisa y redonda.

El lodo salió fácilmente y los otros tres lo ayudaron a limpiar el extraño objeto. Era inmenso: tenía como tres metros de largo y era demasiado pesado para moverlo. Parecía una lata de basura negra muy grande con aletas en uno de los extremos.

—Déjame pensar... —conjeturó J.J.—, es un bálsamo labial para gigantes.

De repente, Luke se dio cuenta. No hubo un relámpago de inspiración, ni se encendió ningún foco en su cerebro. Sólo miró aquel objeto y al instante se dio cuenta de lo que era.

Dio un paso atrás involuntariamente.

—¿Qué te pasa? —le preguntó Charla preocupada—. De repente te has puesto más pálido que un fantasma.

—Creo que... —comenzó a decir Luke temblando—, creo que hemos encontrado a Junior.

Todos abrieron los ojos desmesuradamente. Sus miradas fueron de Luke al objeto y de nuevo se clavaron en Luke. Charla fue la primera en hablar:

—No estarás diciendo que...

Luke asintió lentamente.

—El *Discovery Channel* estaba equivocado. Sí llegaron a construir a Junior. Y lo dejaron aquí.

Ahora todos retrocedieron. J.J. se fundió contra el muro de la fosa.

Una dura realidad cayó sobre los náufragos como una manta asfixiante. La naturaleza hostil y los enemigos peligrosos que tenían eran sólo parte del problema. Su amigo Will estaba comenzando a batallar por su vida. Y ahora, en medio de todo eso, por una espantosa broma del destino, había también una bomba atómica.

No se pierdan la emocionante conclusión de la trilogía de LA ISLA.

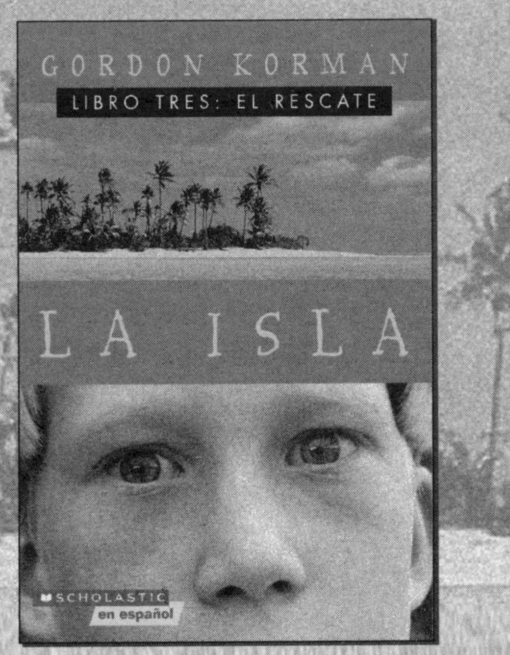

Los enemigos se acercan peligrosamente y Luke, Ian, J.J., Will y Lyssa sólo tienen una salida. ¿Se atreverán a intentarlo? ¿Conseguirán salir con vida?

¡Sigue la aventura de LA ISLA en Internet (En inglés)!

Visita *www.scholastic.com/titles/island*

Pon a prueba tu instinto de supervivencia, aprendiendo a sobrevivir en una isla desierta sin alimentos ni provisiones. Además, puedes conocer un poco mejor a tus amigos náufragos y enterarte por qué están en un problema más grave que nunca.

SCHOLASTIC